【図解】始まりの科学

矢沢サイエンスオフィス 編著

目次

Contents

Contents

写真／Image Science and Analysis Laboratory, NASA-Johnson Space Center、Frank Fox

●はじめに

過去から現在を知る「始まりの科学」

本書のテーマは、この世界と宇宙のあらゆる事物の〝誕生秘話〟を科学の目と言葉で追うことです。つまり、何も存在しない〝空虚〟の中から事物がどうやって姿を現し、存在しはじめたのかが焦点です。そこで本書のタイトルは文字どおり『始まりの科学』となっています。

われわれが生きている間に目にするどんなものも、永遠の過去から存在したのではありません。宇宙も銀河も地球も、そして地球上の生命や人類やさらには日本人も、ある時代にある過程を経て徐々に姿を現しました。それはどれも、現代に生きるわれわれがまったくあずかり知らない過去の出来事です。

しかし、これらの事物がどのようにして存在しはじめたかを知らなければ、われわれは事物の本質を少しも理解できません。日本人がいつどうやって出現したかを知らずしては、そもそも日本人がどんな民族で、他の民族となぜ違うのかを考える手が

現在

●人類の始まり

●知性の始まり

●宇宙文明圏の始まり

●日本人の始まり

●第2人類の始まり

かりさえありません。自分が生まれてから死に至るまでの生涯を過ごす空間であるこの地球がいつどうやって誕生したのかを知らずに、地上の自然についていくら考えたり語り合ったりしても、それは深い理解から程遠いものにしかならないはずです。

そこで本書では、もっとも根源的な宇宙そのものの始まりから、太陽や地球の始まり、さらには生命や人類やオスとメスの始まりに至るまで、あらゆる事物の歴史を究極の過去までさかのぼって考え、同時に疑問も呈しています。また事物を過去から現在までたどることにより、われわれは多少とも未来を展望すること

●宇宙の始まり
●時間の始まり
●銀河の始まり
●太陽の始まり
●地球の始まり
●海の始まり
●種の始まり
●生命の始まり
●オスとメス（性）の始まり

作図／十里木トラリ

もできるようになります。

ここで用いる手法はすべて基本的に科学のそれであり、そこから生じる仮説や結論は、科学者たちの研究や議論を凝縮した結果ということができます。そこには、政治的思想や信仰、趣味的嗜好などが入り込む余地はほとんどありません。

とはいえ、本書で取り上げたどのテーマも、いまだ完全な結論からはほど遠いのが現実でもあります。事物の始まりについての理解はまだまだ発展途上にあり、大小のあらゆる疑問は山積みとなって残されたままです。それらの疑問への答えを見いだす仕事は、いまを生きている読者の世代と、いつの日か〝深く考える人〟になるであろう未来の人々に託されることになります。本書がそうした人々の小さな道案内になれるなら、これを書いた2人の筆者の目的は達せられたことになります。

2019年春　矢沢　潔

●前篇

宇宙と銀河、太陽と地球 そして生命と人類は いつどのように 誕生したのか？

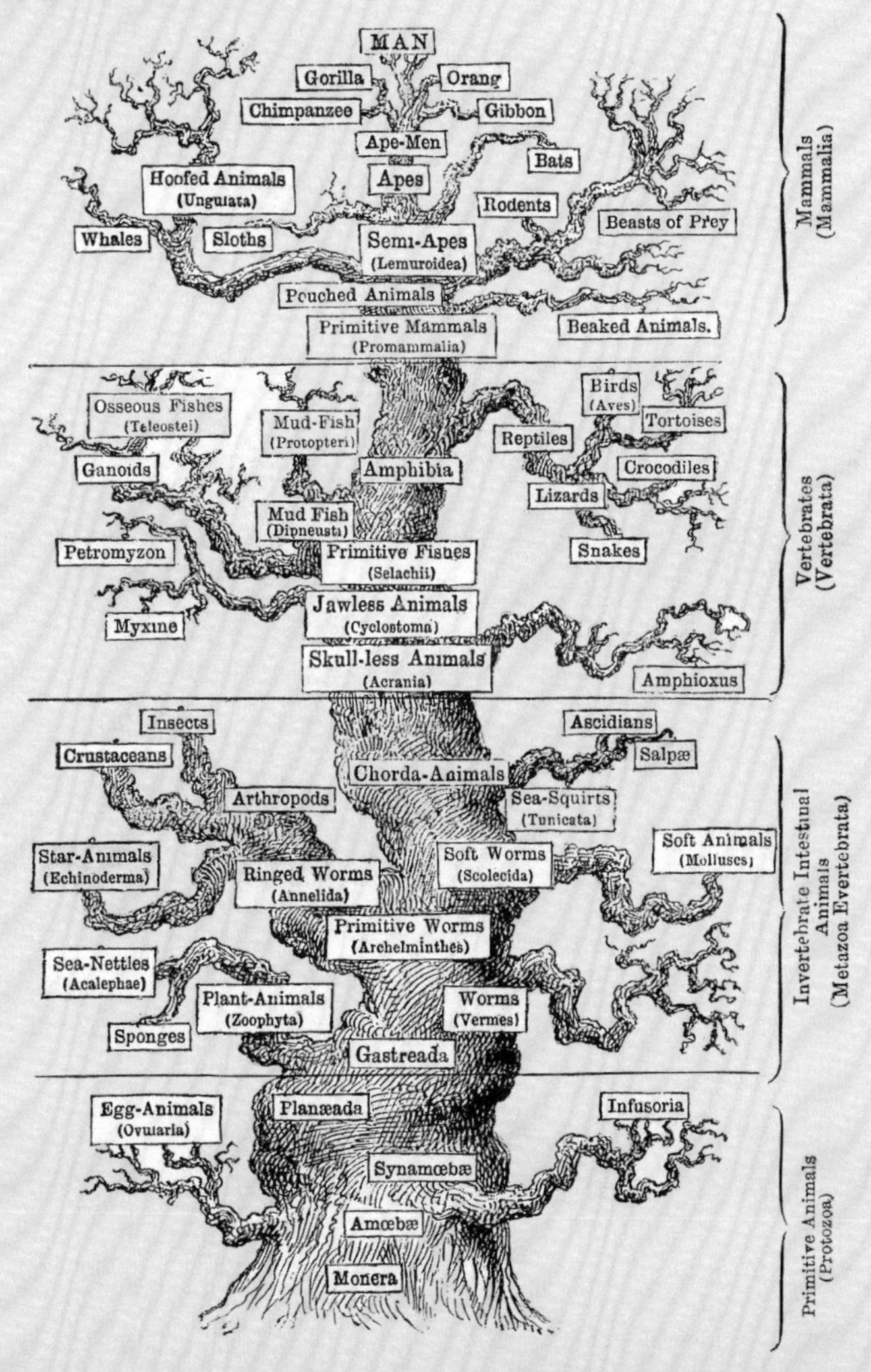

パート1

太陽の始まり

人類と地球の運命をにぎる星

2018年の巨大な太陽フレア

「これは本当の話か?」

2018年11月、NASA(アメリカ航空宇宙局)が、かつて誰も見たことのない恐ろしいばかりのビデオ動画を公表した。それは、太陽観測衛星(SDO)が地球に送ってきた超鮮明な4K映像300時間分を圧縮したもので、最近の太陽の、これまでに観測されたことのない**激烈な表面爆発**を生々しく捉えていた。

太陽表面の爆発は「**ソーラーフレア(太陽フレア)**」と呼ばれ、太陽系の主である巨大な太陽の表面で頻繁に起こっている。この爆発は、太陽内部で生まれた数千万度Cという超高温のイオン(電気を帯びた粒子)や強大なエネルギーをもつ光子が雲のようなプラズマの塊となり、宇宙空間へと噴出する現象である(**図1-1**)。こうして噴き出した太陽フレアは、太陽系宇宙に向かう**宇宙の風**(=**太陽風**)**となり、何億㎞もの距離を広がっていく**。

地球上の人類にとっての問題は、この太陽風は**光速に比肩するほどの超高速**(**秒速1400㎞以上**)で宇宙空間に**飛び出す**こと、さらに**地球を何十個も呑み込むほど巨大**な

図1-1 ⬆NASAの太陽観測衛星（SDO）がとらえた太陽表面から噴き上がる太陽フレア。地球の数倍～10倍もの巨大な炎は毎秒1400km以上の超高速で宇宙空間に広がっていく。写真／NASA Goddard Space Flight Center SDO ⬅太陽と太陽系惑星の大きさ比較。下の2つは木星と土星。地球（手前左端）はほとんど見えないほど小さい。写真／Lsmpascal

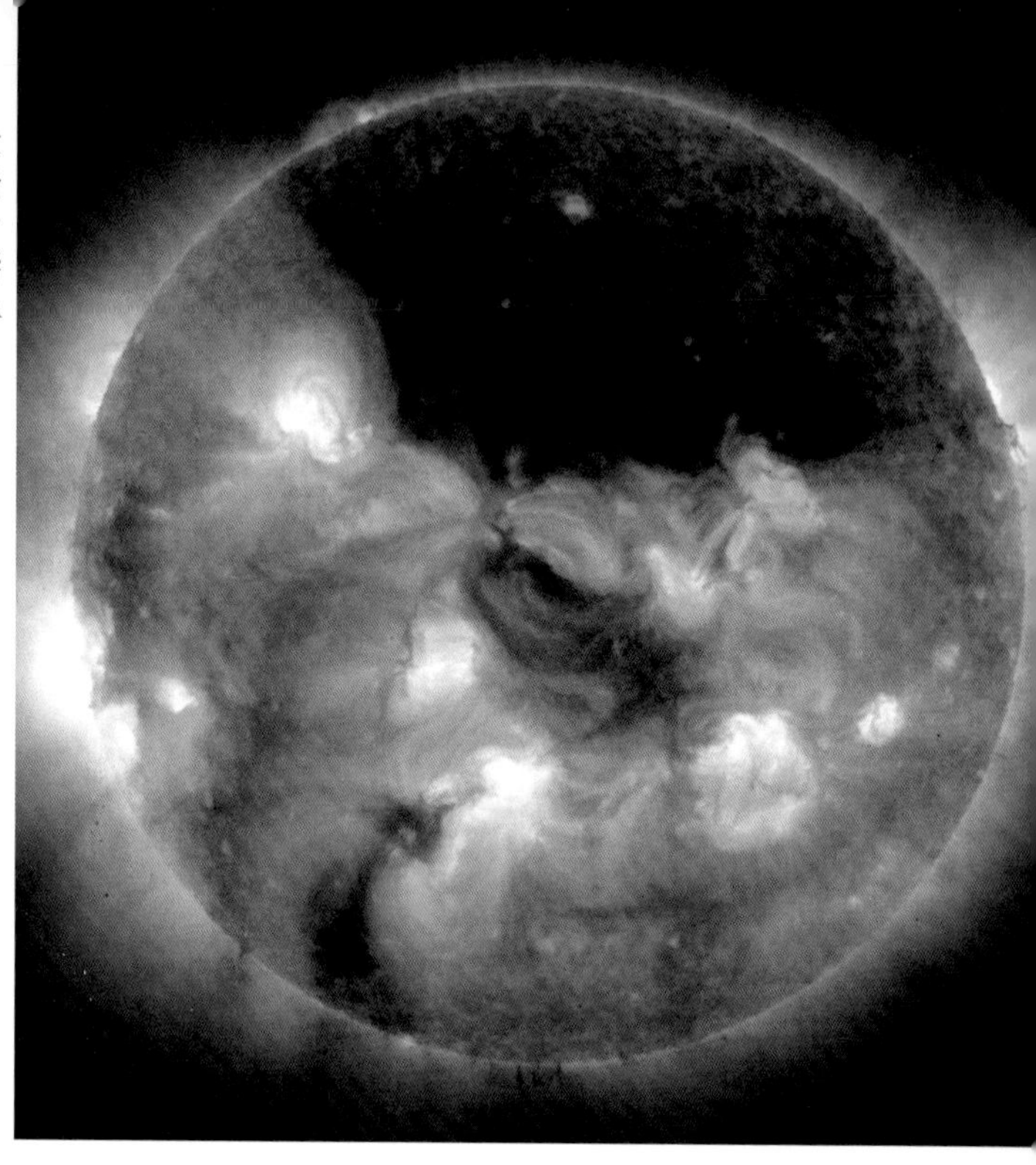

図1-2 ➡太陽の外側の大気であるコロナに生じた暗く低温の巨大な領域コロナホール。地球の気候に影響を与える。写真／NASA／ESA

太陽フレアは**地球の環境に破壊的な影響を与えるおそれ**があることだ。

そのおそれは、幸か不幸か地球が太陽から近い距離にあるためいっそう高い。太陽フレアが放出した途方もなく強力な荷電粒子は**太陽からわずか20分で地球に到達する**ので、発生したことが観測でわかってからでは**逃げることも避けることもできない**。地球上で大変なことが起こるにもかかわらずだ。

NASAとアメリカ政府の警告

太陽フレアは何十年来、**つねに監視の対象**であった。なぜ単なる観測ではなく〝監視〟するのか? それは、このフレアが非常に巨大であった場合、**地上の人間活動に重大な影響を及ぼす**からだ。今回（2018年）の太陽フレアはかつて観測されたことのないほどのスケールであり、そのためアメリカ政府は、「**世界のメルトダウンを引き起こしかねない**」「**近いうちに全世界の電力供給網を崩壊させる可能性がある**」とする警告を出した。そこでは、この太陽フレアが、世界の電力供給網の崩壊によって**人類文明をいっきに石器時代へと引き戻すおそれがある**とまで記している。まるでハリウッドのホラー映画が現実化するかのごとき警告である。

本稿のテーマは「太陽の始まり」だが、このような警告から始めることにしたのは理由のあることだ。それは、太陽が地球上の生物の日々の営みを支える母のごとき存在で

✴Column✴

太陽黒点と地球環境&不況の関係

太陽の表面では**「黒点」が頻繁に現れては消えている。黒点は太陽表面の温度が低い部分**で、その場所や大きさ、数がたえず変化する。黒点が生じるのは、**太陽の磁場が非常に強まったときそれが内部の熱を閉じ込めるように作用し、太陽表面の熱が周囲より低下するため**だ。とはいえ黒点の温度は4000〜5500度Cに達し、周囲より500〜1000度C低いだけで、依然として超高温である。

黒点はおおむね**太陽の東から西へと移動**し（太陽が自転しているため）、その**増減には10〜11年の周期**がある。黒点の数が多く面積が**大きいときは太陽活動が活発であり、地球の気温は高めに、また電磁場は乱れがち**となる。そのため昔から、**黒点の少ない年と農作物の不作および不況には関連がある**とされてきた。

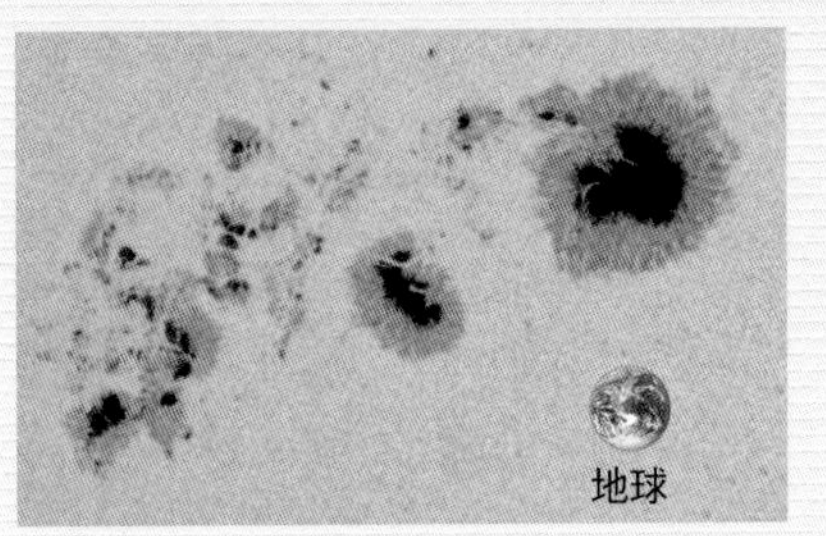

図1-3　黒点と地球の大きさの比較。
写真／NASA／SDO

近年**黒点の数は激減**しているが（2018年後半以降**ほぼ消滅**）、これが地球環境と人間社会にどんな影響を及ぼすかは不明だ。17世紀に地球を襲って**世界大不況と凍死・餓死を続出させた「マウンダー小氷期」**の再来となるのか、または近年の新聞やTVが報じ続ける人間活動による地球温暖化をもたらすのかは、誰にも予測できない。

あるだけでなく、ときには人類文明の比類なき破壊者にもなり得ることを知ってから始めたほうが、太陽誕生の秘密にも迫りやすいからである。

1秒ごとに原爆8兆個分のエネルギー

さて地球上のわれわれから観測すると、太陽は完全に丸い光の球体であり、その表面はきわめて滑らかのように見える（とはいえ、決して軽い気持ちで肉眼で見てはいけない。濃いスモークガラスなどを通して見ないと、**強烈な光によって網膜損傷や失明を引き起こすおそれがある**）。

だがこれは誤りだ。不透明なガス層からなる太陽表面（光球）は中心部よりはるかに低温だが、それでも6000度Cの超高温であり、巨大なスケールででこぼこしている。これは、前述の太陽フレアや黒点（**上コラム**）が不規則に生じたり消えたりしているためだ。

なにより**太陽は完全な球体ではない**。地球などの惑星と同じように**太陽も自転しているため、遠**

くから見ると遠心力によって赤道方向がふくらみ、自転軸（極）方向がいくらかつぶれている。

太陽表面が**自転1回に要する時間は赤道側で25・4日、極側で35日。**赤道側と極側で大きくずれているのは、太陽は地球や火星のような岩石質つまり固体ではなく、**全体が流動体（おもに水素ガスの気体）でできている**ためだ。水の入ったバケツをひもで吊り下げてぐるぐる回転させると外側の水が遠心力で盛り上がる効果と同じである（太陽内部についての新発見については左ページ**コラム**参照）。

太陽の表面はつねに全方向に光を発している。宇宙に存在する何千億、何兆、何十兆個の星々（恒星、主系列星）と同じである。その光のエネルギーは1秒ごと――1分や1時間や1日ではない！――に広島に投下された**原子爆弾"8兆個分"**に相当する。正しく言うと10の26乗カロリー（4×10^{23}キロワット）。つまり太陽は、わずか1秒分のエネルギーで地球と金星と火星のすべての地上を完全に燃やし尽くすほど強大なエネルギー放出天体なのだ。

だがこのエネルギーのうちのきわめて小さな一部分がたえず地球に届いているがゆえに、地球はいまのように適度に温暖であり、人間を含めて全生物が生きられる環境を生み出してくれている。

太陽の放出するエネルギーがごくわずかでも増えたり減ったりするだけで、地球上は炎熱地獄になったり凍った雪玉状態となって、たちまち多くの生物は絶滅しなくてはならない。その影響力は、近年のテレビや新聞が「人間の放出する二酸化炭素による地球温暖化が深刻化して異常気候が……」などと空騒ぎしているレベルとはかけ離れている。

星雲から太陽の"胎児"が生まれる

そこでようやくここから、太陽がいつどのようにして誕生したかを追ってみることにする。これは同時に、太陽が引きつれている地球などの惑星系（太陽系惑星）の起源についての話でもあり、また宇宙の星々やその周囲をまわる惑星の誕生のプロセスと基本的に同じと考えねばならない。

星と惑星系の誕生については、20世紀はじめからさまざまな仮説・理論が考えられてきた。それらのうち、現在ももっとも広く信じられている説は次のようなものだ。

いまから46億年（45億年でもよいが）ほど前、われわれの銀河（銀河系、天の川銀河）の片すみに、莫大な量のガスとチリが漂っていた。それらはしだいに集まって巨大ガ

ス雲をつくり、その雲は自らの重力（引力）で互いに引き合い、ゆっくり回転しながら中心部へと凝縮していった（16ページ**図1－5**）。

ガス雲が内側へと集まるにつれて重力はいっそう強まり、ついに中心部に太陽の胎児〝原始太陽〟が生まれた。原始太陽になり損ねたガスやチリは原始太陽の周囲の空間をとり巻き、全体が回転しながらつぶれて円盤状のガス星雲となった。「**原始太陽系星雲**」の出現である。

原始太陽をつくり出したガスやチリは、この**星雲全体の99・9％に達する**。つまり周囲に残されたガスやチリは、最初に存在した原始太陽系星雲のうちのかすかな一部でしかない。だがこの**わずかな〝残り物〟の中から、地球や火星、土星や木星などの惑星が生まれることになる**（パート5参照）。

✴Column✴

太陽内部の自転は外側の4倍も速い！

巨大な太陽も、地球などの岩石惑星と同じように“**自転**”している。**太陽は固体ではなくガス**なので、全体が自転しているかどうか外からではわからないように思えるが、現在の天体物理学はそれを可能にする。太陽表面の移動しないもの（黒点など）の運動速度、**太陽が発する音波、重力波（直接観測はできないので間接的影響を利用する）などを用いる方法**である。

太陽表面の**赤道付近は1周25日9時間、両極側で35日**である。赤道と極で時間が異なるのは、太陽がガスでできているための引きずり効果のためだ。

問題は太陽の内部である（**図1－4**）。長年にわたるNASAとESA（ヨーロッパ宇宙機関）の太陽観測衛星ソーホー（SOHO）の成果の分析から、太陽**中心部（核）は非常に速く、表面の4倍もの周期で自転**していることがわかったのだ。理由は次のように推測できる。表面はガスであるためつねに引きずられて遅れるが、中心核は固体ではないものの非常に密度が高いため、40数億年前の**原始太陽のころの自転がいまも保たれている**というものだ。表面の4倍というスピードは、観測衛星ソーホーの20年以上の観測における最大の発見とされている。

図1-4

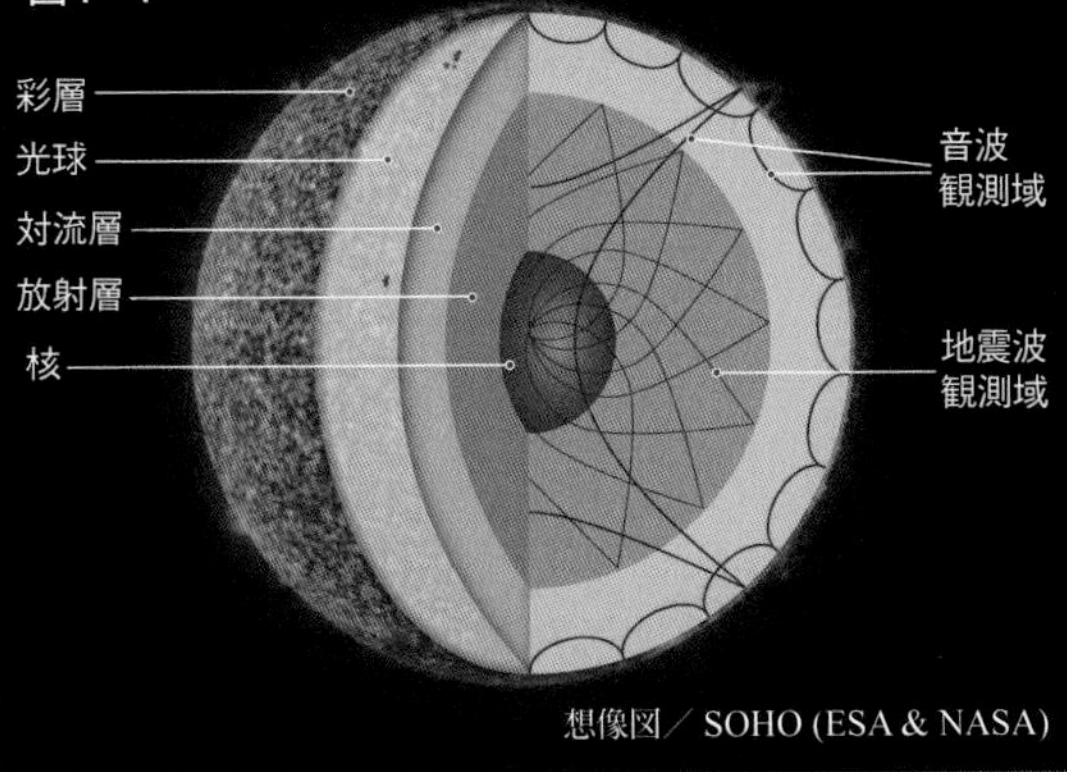

彩層
光球
対流層
放射層
核
音波観測域
地震波観測域

想像図／SOHO (ESA & NASA)

図1-5 太陽はこうして生まれた

分子雲

➡巨大な原始太陽系分子雲がゆっくり回転しながら、重力に引き付けられて中心部に集まっていった。

原始太陽

⬆分子雲をつくっていた物質の大半が収縮して“太陽の赤ん坊（原始太陽）”をつくり出した。

ジェットガス

原始太陽

ガス円盤

⬆原始太陽は凝縮して超高密度・超高圧となり、その中心部で核融合反応が起こってエネルギーを放出しはじめた。

太陽

微惑星

⬆太陽になり損ねた外側のガスや物質がところどころに集まり、数個の惑星と無数の岩石（微惑星、小惑星）を生み出した。

イラスト／細江道義

こうして星雲の中心部に生まれた原始太陽は、途方もなく巨大な天体となった（**宇宙に無数に存在する星としてはごくありふれたものだが**）。ともあれその平均直径は１３９万１０００㎞と地球の**直径の１０９倍、体積は１３０万倍、重さ（質量）は33万３０００倍**である。太陽を1頭のゾウにたとえるなら、地球はゾウの背中に乗ったネズミよりはるかに小さい。

図1-6 ⬆スピツァー望遠鏡がプレアデス星団で発見した“太陽系の卵（NGC1333-IRAS 4B）”をCGで表現したもの。ガス雲の内部に地球の海を5回満たすほどの膨大な量の水が存在することも明らかになった。 CG／NASA／JPL-Caltech

この巨大さが生み出す自らの重力のため、**太陽中心部のガス（現在の太陽全体の91％は水素、残りはほぼヘリウム）**は押し合いへし合いで**水の150倍もの高密度となり、温度は1500万度Cに達する。**こうなったとき、**原始太陽はついに宇宙に輝く1個の星へと成長する。**それは、超高密度と超高温によって水素の原子どうしが〝結合〟しはじめた結果だ。

太陽はいま46億歳、余命は？

この結合は「**核融合反応**」と呼ばれる。それは**水爆（水素爆弾）の炸裂の原理と同じ**だ。軽い水素と水素が融合してヘリウムに変わり、その際に余分かつ巨大なエネルギーを外に放出する。この反応が太陽中心部でたえまなくそして同時に起こると、放出されたエネルギーは行く場を失って太陽表面へ上

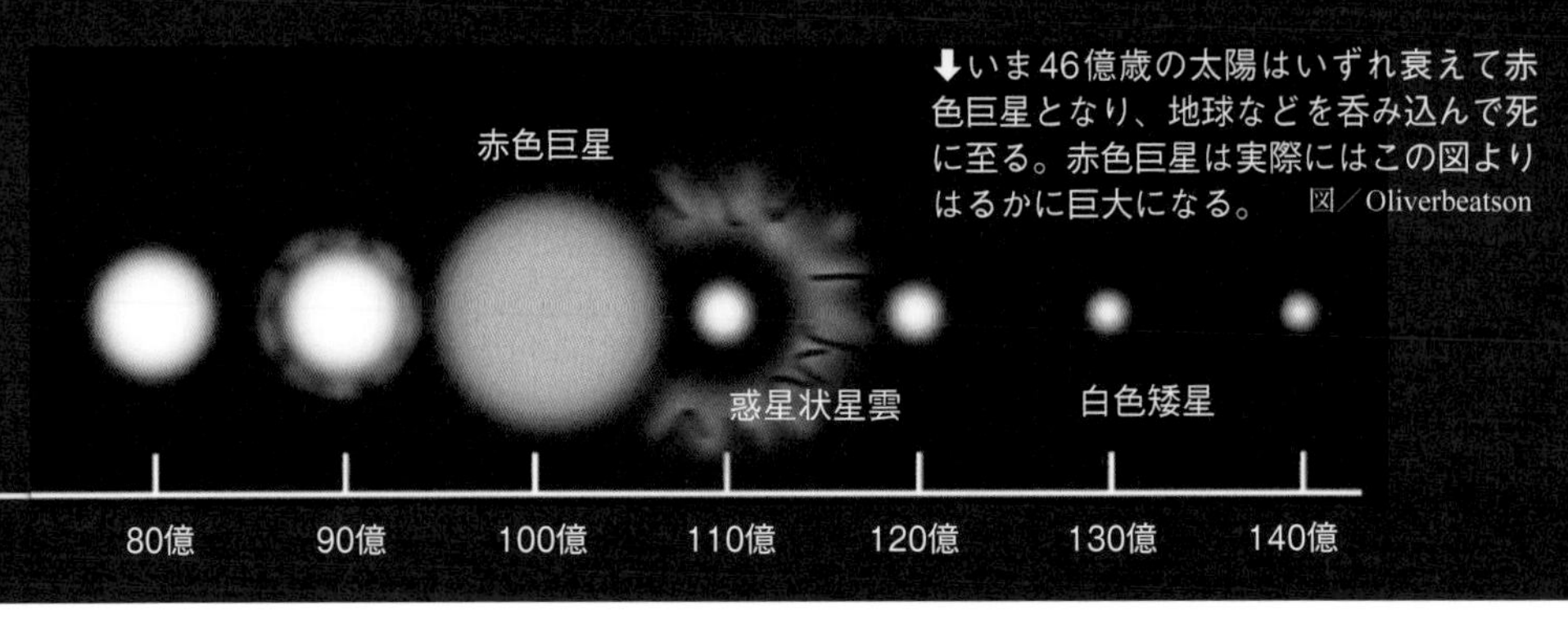

⬇いま46億歳の太陽はいずれ衰えて赤色巨星となり、地球などを呑み込んで死に至る。赤色巨星は実際にはこの図よりはるかに巨大になる。　図／Oliverbeatson

昇する。そしてついにその表面から光となって宇宙空間に放出される。これが、**太陽のような星々がすさまじい光を発して輝いている理由**である。**太陽と水爆の違いは、前者が非常にゆっくりと、後者が一瞬で爆発的な融合反応を起こすことだけ**である。

　われわれの太陽がこのような星になってから**すでに46億年ほど経ち、中心部の水素の30％が核融合を経てヘリウムに変わった**と見られる。計算上、太陽は今後まだ50億年ほどは変化しつつも輝き続ける。つまりいまの**太陽は自分の寿命の半分のところにいる**（図1-8）。

　だが今後30億年くらい経つと、核融合の燃料である水素が減り始め、太陽は避けることのできない死出の旅路へと向かう。自らが引きつれる地球などの惑星を道づれにしてだ。

太陽が死ぬずっと前に地球が死ぬ

　年老いた太陽は決して静かな死は迎えない。それはあまりにも恐ろしく破壊的なものだ。

　中心部（核）の水素を燃やし尽くした太陽は、もはや核融合エネルギーによって中心部を膨張させ続けることはできず、**おのれの重力に負けて収縮しはじめる**。しかしこの

図1-7 ⬆いままさに死にかけている赤色巨星ミラA。　写真／ESO, W. Vlemmings

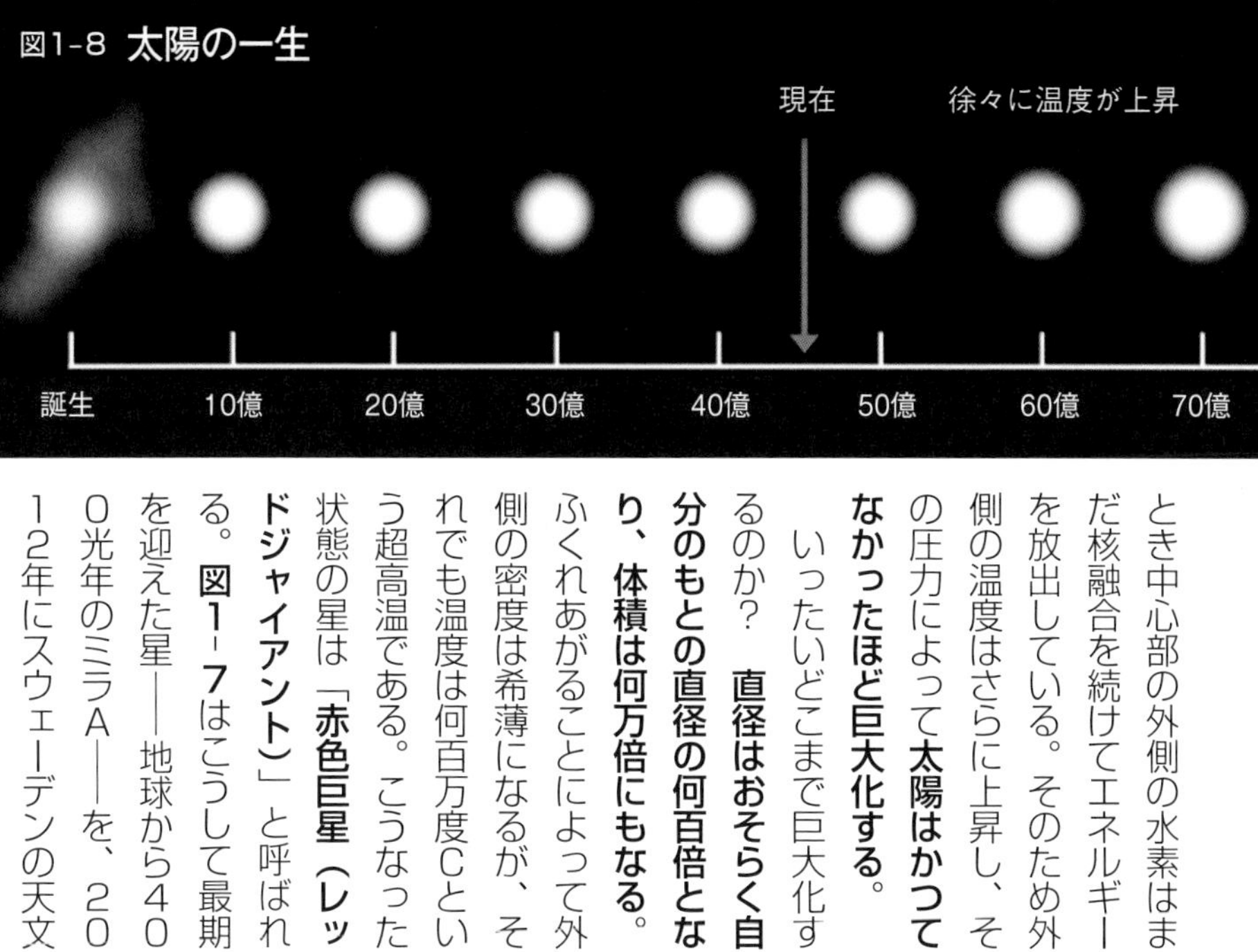

図1-8 太陽の一生

とき中心部の外側の水素はまだ核融合を続けてエネルギーを放出している。そのため外側の温度はさらに上昇し、その圧力によって**太陽はかつてなかったほど巨大化する。**

いったいどこまで巨大化するのか？　**直径はおそらく自分のもとの直径の何百倍となり、体積は何万倍にもなる。**ふくれあがることによって外側の密度は希薄になるが、それでも温度は何百万度Cという超高温である。こうなった状態の星は「**赤色巨星（レッドジャイアント）**」と呼ばれる。**図1-7**はこうして最期を迎えた星――地球から400光年のミラA――を、2012年にスウェーデンの天文学者がとらえたものだ。**太陽の未来の姿**と思っても間違いではない。

現在の予想では、われわれの太陽がこの段階に来たとき、膨張した**太陽の表面は、もっとも内側の太陽系惑星である水星を呑み込み、次に金星を呑み込む。そしてさらには地球をも呑み込むかもしれない。**赤色巨星と化した太陽が地球を呑み込んだとき、**地球はその超高温によって完全に蒸発し、この宇宙から消え去ることになる。**

だが人間や地球生物が地球とともに消滅するおそれはない。そのときが来るより何億年も前に、地球上はいまの金星と同様の灼熱地獄（平均460度C）と化し、海も蒸発して消えている。**全生物は（人類も含めて）はるか昔に絶滅**しており、それを覚えている者はどこにもいないからだ。

サイエンス・フィクション的な想像が許されるなら、高度な人工知能をもったロボットが太陽から何億㎞も離れた土星か木星の衛星に基地をつくり、太陽とともに消滅していく地球の恐ろしい光景を眺めている場面を描いてもよい。しかしそれは希望を込めた想像以上のものではない。太陽には、地球も地球生物をもすべて道づれにして死へと旅立つ以外の未来はあり得ないのだから。●

●パート2

銀河の始まり

宇宙の大衝突が銀河を生み出す

アンドロメダ銀河が天の川に接近中

いま、われわれが生きている**天の川銀河（銀河系）に隣のアンドロメダ銀河が急速に近づいている**。そのスピードは時速100万km、1年に9億kmにも達する。いずれ2つの銀河は衝突し、地球は破滅するかもしれない。

もっとも、現在のわれわれが地球の破滅を怖れたり悲観する必要はない。**衝突が起こるのは最新の計算でも45億年後**である。おそらく銀河系は、過去にもこうした衝突を経験している。後述するように**銀河の多くは他の銀河との衝突を経て成長**し、いまのような姿になったと考えられているのだ。

宇宙には数千億個の銀河が存在する。美しい渦を描くもの、楕円形のもの、綿雲が集まったように見えるもの——その姿形や大きさはさまざまだ。

アンドロメダ銀河やわれわれの銀河系は「**渦巻銀河（渦状銀河）**」のひとつである。中央のふくらんだ領域（バルジ）のまわりをとりまく〝腕〟が渦を巻いているのでこう呼ばれる（**図2-1**）。われわれの銀河系には2000億個もの星々が存在し、直径は10万光年に達する。光が1年間に進む距離（1光年）は約10兆kmで、地球-太陽間距離の6万倍だから、10万光

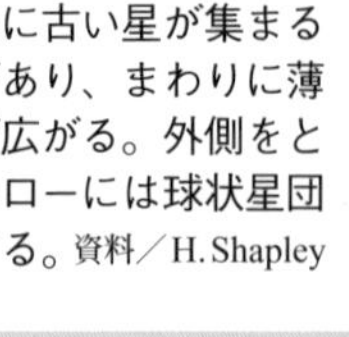

図2-1 ⬅⬆銀河系の構造。中央に古い星が集まるバルジがあり、まわりに薄い円盤が広がる。外側をとりまくハローには球状星団が点在する。資料／H. Shapley

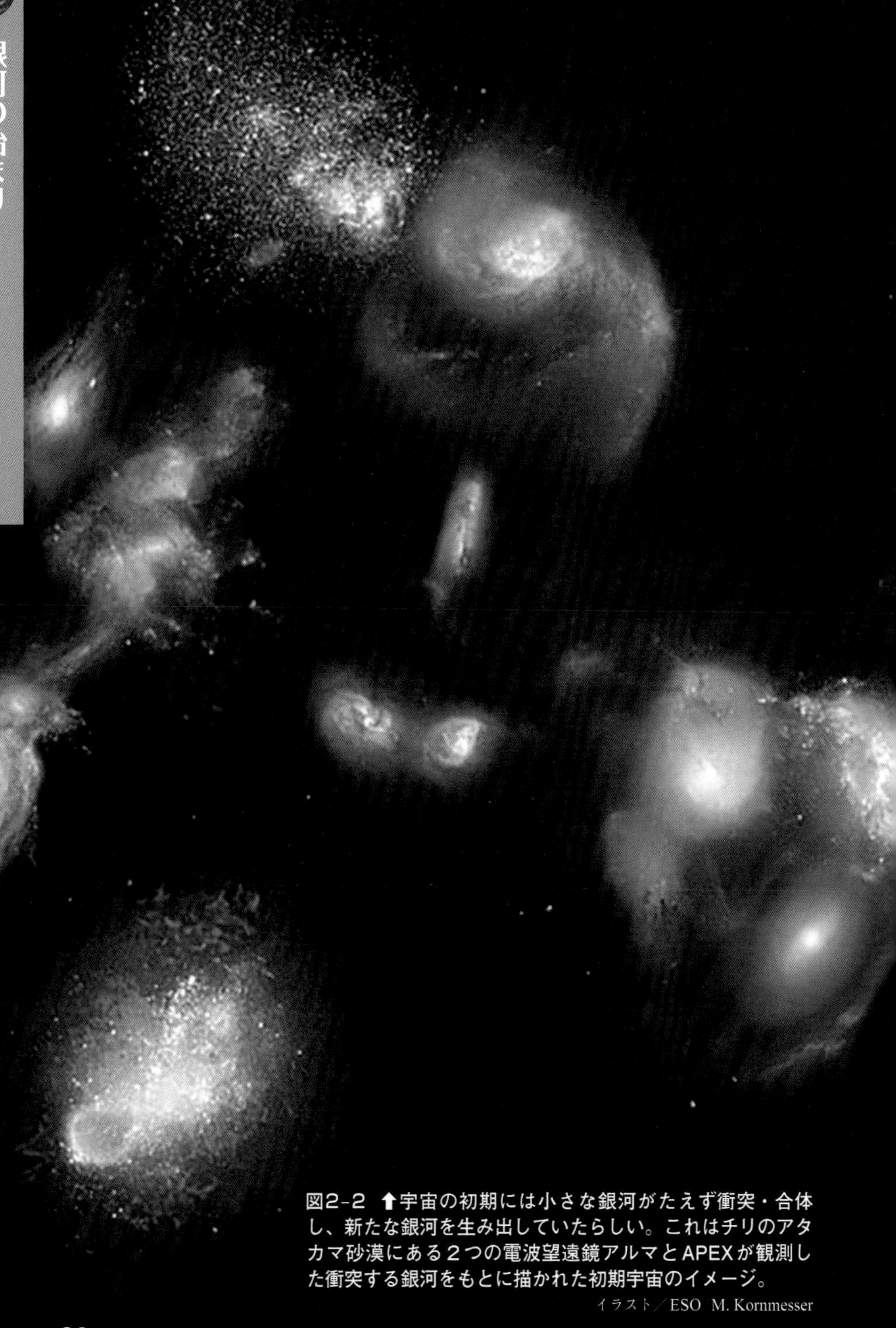
図2-2 ⬆宇宙の初期には小さな銀河がたえず衝突・合体し、新たな銀河を生み出していたらしい。これはチリのアタカマ砂漠にある２つの電波望遠鏡アルマとAPEXが観測した衝突する銀河をもとに描かれた初期宇宙のイメージ。
イラスト／ESO M. Kornmesser

年は地球‐太陽間距離の60億倍である。
宇宙に散りばめられた銀河の中には100兆個もの星々をもつ超大型銀河もあると見られている。これほど巨大な宇宙構造物である銀河やわれわれの銀河系は、いったいいつどのようにして生まれたのか?

最初の銀河はいつ生まれたか?

多くの読者は、人間が〝過去を見る〟ことなどできないと考えるかもしれない。しかし、われわれの目にふだん映る光景は現在ではなく、つねにほんの一瞬過去のものだ。〝見る〟とは、外界の光が眼球に飛び込み、その情報が目の網膜から視神経を通って大脳に送られ、そこで解釈されたものだ。外の世界が発したり反射したりした光が目や脳に届くまでには、短いとはいえ時間がかかっている。ただ、日常生活でわれわれがそれを過去と感じるほどの時間差ではない。

だが宇宙は別である。もっとも遠方の天体の光は数億年、数十億年の時間をかけて地球に届く。いいかえると、われわれ

①渦巻銀河　われわれの隣人・アンドロメダ銀河。

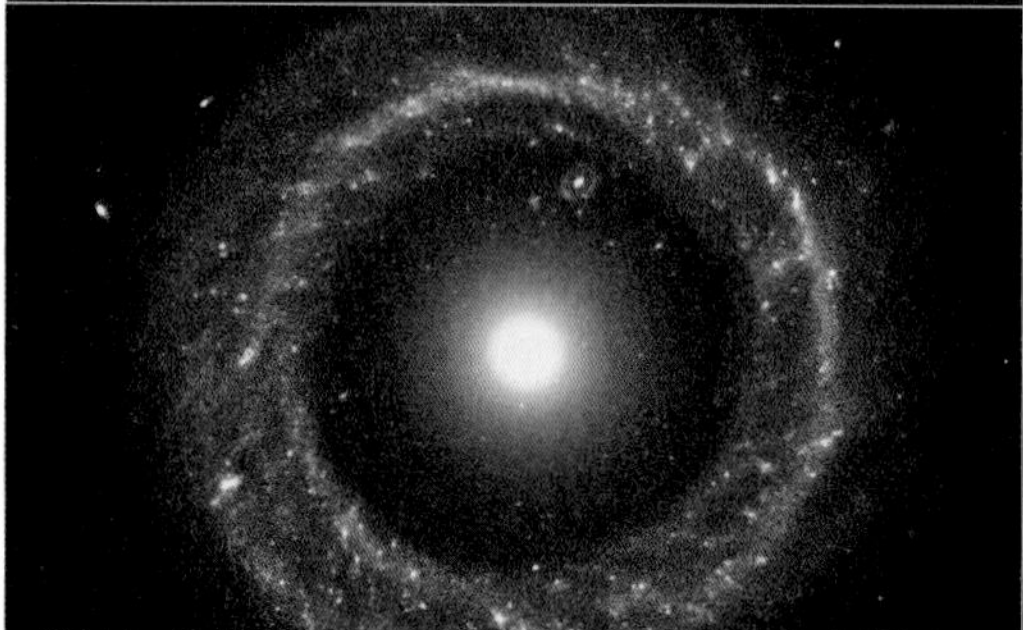

②リング(環状)銀河　ホーグの銀河。中心の銀河の近くを通った銀河がばらばらになり、周囲に星のリングをつくり出したのかもしれない。

③不規則銀河　銀河系の随伴銀河のひとつ大マゼラン銀河。

④棒渦巻銀河　バルジ部分が棒状のNGC1300。

われわれが**観測できる遠方の天体ははるかな過去の姿**だ。NASAのハッブル宇宙望遠鏡やチリにあるアルマ電波望遠鏡（24ページ図2-4）のようなずば抜けた性能をもつ望遠鏡は、宇宙の過去をのぞく〝タイムトラベル装置〟でもある。

近年、こうした望遠鏡の観測により、初期の宇宙のようすがしだいに見えてきた。それによれば、**130億年前にはすでに多数の銀河が誕生していたらしい**。われわれから最遠の小さな銀河（GN-z11、MACS11491など）は、その光の波長から計算すると133億～134億年前にすでに誕生していたことになる。「ビッグバン宇宙論」（パート3参照）にもとづけば、これらの銀河は宇宙誕生からわずか4億～5億年後に誕生したのだ。

初期の銀河はいまのわれわれの銀河系よりはるかに小さい。130億年前の銀河の多くは大きさが銀河系の20分の1～100分の1で、星の数も10億～数十億個と推測されている。しかしどれも**非常に明るく**、**星が爆発的に誕生して**

図2-3 ⬅➡初期の銀河は小さく形も整っていなかったが、その後、銀河どうしの衝突によって巨大化し、渦巻きや楕円などの形を生み出したと見られている。

⑤楕円銀河　暗いガスやチリを大量に含むNGC1316。過去に銀河と衝突した痕跡と見られる。

⑥レンズ銀河　ほぼ真横から見たレンズ銀河NGC5866。円盤はあるが、渦巻き状の腕はない。

⑦特異銀河（触角銀河）　まさに衝突中の２つの銀河NGC4038-4039。

写真／① NASA/JPL-Caltech、② NASA/R. Lucas (STScI/AURA)、③ Zdenek Bardon/ESO、④ NASA, ESA, and The Hubble Heritage Team (STScI/AURA); Acknowledgment: P. Knezek (WIYN)、⑤⑥⑦ NASA/ESA/The Hubble Heritage Team (STScI/AURA)

図2-4 ⬆標高5000ｍのチリの砂漠に建設されたアルマ望遠鏡。66基の電波アンテナのデータを連動させ、高精度の観測を行う。写真／ESO／C. Malin

いることを示している。星誕生のペースは銀河系（年間数個）の数十倍、ときに1000倍に達する。

初期の銀河は、自らの重力で周囲のガスを引きつけてしだいに大きく成長した。さらに**まわりの銀河と衝突や合体をくり返してしだいに巨大化した**と考えられている。つい最近も、まさに集合の途上にある小さな銀河群が発見されている。比較的近傍の、つまり最近の宇宙でも衝突中の銀河がいくつも見つかっているが、宇宙初期の銀河どうしの衝突ははるかに頻繁であったようだ。

すでに見たように、われわれの銀河系も過去に何度も衝突を経験した。最近のＥＳＡ（ヨーロッパ宇宙機関）の宇宙望遠鏡「ガイア」の観測では、銀河系全体の回転とは異なる動きをする星々が多数発見された。その動きや化学成分を分析したオランダのアミナ・ヘルミによれば、これらの星々は、いまから**100億年前に銀河系に衝突した小型銀河**の名残りだという。彼女はこの小型銀河に「**ガイア・エンケラドス**」と名付けている。

銀河系は今後も、近くの大マゼラン銀河や小マゼラン銀河、そしてアンドロメダ銀河と衝突し、新たな巨大銀河へと生まれ変わる運命にある。遠方から見る宇宙は静謐のようでも、それは実際にはあまりに荒々しくダイナミックな変化の途上である。

宇宙初期に生まれた超巨大ブラックホール

では、銀河どうしが衝突すると何が起こるのか？　衝突といっても星々の間は実際にはかなり離れているので（たとえば太陽から隣のケンタウルス座アルファ星までは4・3光年）、直接衝突するものはそれほど多くないと予想される。だが星々の間に漂うガスはぶつかって圧縮され、その衝撃によって新しく星々が生まれる。また銀河の形は、互いに重力を及ぼし合ってひどく崩れる。だが銀河はゆっくりと回転しているので、周辺の星々はしだいに中心部のまわりに**渦巻く円盤**へと姿を変える。ただし銀河どうしが正面衝突した場合は、**楕円銀河**になると見られる。

このとき、双方の銀河の中心に存在する2つの巨大なブラックホールは互いに引きつけ合い、ついにはひとつの超巨大ブラックホールへと姿を変える。

だが最近、このブラックホールが大問題になっている。**銀河系の中心（いて座Aの方角）には、質量が太陽の400万倍もの巨大ブラックホールが存在する**ことが確実視されている。またこれまでの観測からほぼすべての銀河の中心に**巨大ブラックホールがあることが示され、その大きさ（質量）は銀河中央部のふくらみ（バルジ）の質量に比例する**こともわかった。そのため銀河とその中心のブラックホールは互いに影響しながら成長したと考えられてきた。

新たな問題とは、巨大ブラックホールの成長に要する時間である。最近の計算では、初期銀

図2-5 ↑水素の強力な風を噴出するM82。1億年前、隣のM81と接近して重力的にかき乱された結果、星々が爆発的に誕生するようになったらしい。これらの星の形成が風に強大なエネルギーを与える。
写真／M. Westmoquette (Univ. College London), J. Gallagher (Univ. College London), L. Smith (Univ. College London) /WIYN/NSF/NASA/ESA

河で見られるほどの大きさにブラックホールが成長するには、周囲のガスを吸収し、さらに銀河中心のブラックホールどうしが合体するとしても、**宇宙誕生から10億年程度では時間が足りない**ことが明らかになった。**ブラックホールが巨大化するしくみがミステリー**になったのだ。

しかも先ごろ、誕生から10億年もたたない**初期宇宙で、太陽の120億倍もの質量をもつ超巨大ブラックホールが発見**された（**図2-6**）。このウルトラモンスター級ブラックホールはどうやって生まれたのか。

巨大な星の死である超新星爆発（爆発後に残った物質が中性子星やブラックホールになる）や銀河どうしの衝突によって生まれるとはとうてい思われない。いくつかの仮説は立てられているが、納得いく説明には至っていない。

銀河の誕生と「ダークマター」

こうしたいくつもの謎を踏まえた上で、銀河の誕生を説明しようとする最新のシナリオは次のようなものだ。

138億年前、宇宙のタネ——超高温・超高圧だがきわめて微小な〝火の玉〟——が爆発的に膨張しはじめた。これが宇宙の始まり、すなわちビッグバンである（パート3参照）。このとき途方もなく膨大なエネルギーが解き放たれ、その一部が物質を形づくる粒子（素粒子★1）へと変化した。

その後、膨張につれて宇宙が冷えると、これらの物質が集まって最初の星々（恒星）が輝きだした（29ページ**コラム**）。さらに星どうしはたがいの重力で集まり始め、宇宙誕生から数億年後には最初の小さな銀河が姿を現した——

ここで問題になるのは、**なぜこれほど早い時期に銀河が誕生したか**である。ビッグバンの際にはエネルギーは宇宙全体に均一に行きわたったはずだ。これは、物質もまた宇宙に均等に広がったことを意味する。実際、ビッグバン直後の光とされる「**宇宙背景放射**」（パート3参照）は、宇宙全域からほぼ均一に地球にもやってきている。

この謎を解き明かすために研究者たちが考え出したのが「**ダークマター（暗黒物質）**」の存在である。

ダークマターがはじめて提起されたのは1970年代、**銀河の回転運動についての謎**を解くことが目的であった。

★1 **素粒子** 物質をつくるもっとも基本的な粒子。電子のほか、陽子や中性子をつくるクォーク、物質に質量を与える粒子ヒッグスなど。標準的理論は17種類の素粒子の存在を予言し、すべてが発見された。だがこの理論には重力が含まれていないうえ、説明できない現象も多く、ほかにも素粒子が存在するという見方がある。

図2-6 ⬆銀河中心のブラックホールが高エネルギーのジェットを噴出する様子。ブラックホールのまわりのチリやガスでできた降着円盤が熱せられて輝いている。　イラスト／NASA/JPL-Caltech

銀河の回転速度は、円盤の内側も外側も変わらない。だが、星々の少ない円盤の外側の回転速度は、質量から考えればもっと遅いはずである。いまのような速度で回転していたら遠心力が重力を上回り、星々は銀河の外側に飛び散ってしまうはずなのだ。

つまり**銀河には、観測できる星々とは別に未知の巨大な質量（物質）が存在して、その非常に強い重力が星々をつなぎとめている**と見なくてはならない。そこで、正体不明のこの物質をダークマターと呼ぶことになった。

ダークマターの量は、天体望遠鏡で観測できるふつうの物質（星々）よりはるかに多くなくてはならない。計算上は、ふつうの物質の5〜6倍は必要だ。もし**初期宇宙に少しでもダークマターが集まっている場所があったなら、そこには重力に引かれて周囲から物質が集まってくる。**するとダークマターを中心とする物質の密度はますます高まり、ついにそれは星々となり、さらにそれらが無数に集まって銀河となるであろう――

だが、初期宇宙に銀河のタネとなるようなわずかな物質の偏りが本当に存在したのか？　この疑問には、NASAの2つの天体観測衛星――コービー衛星（COBE）とダ

図2-7 ➡神岡鉱山に設置されたXMASS。タンク内の-100度Cの液体キセノンにダークマターが突入したときのかすかな光をとらえる。写真提供／東京大学宇宙線研究所 神岡宇宙素粒子研究施設

ブリューマップ衛星（WMAP）――がひとつの答えをもたらした。これらの衛星は、**宇宙背景放射がかすかにゆらいでおり、宇宙初期に物質の濃いところと薄いところがあった**ことを確かめたのだ。

どうしてもダークマターを見つけねばならない

とはいえ、これによってダークマターの正体がわかったわけではない。かつてダークマターの正体は、目に見えないミクロの粒子ニュートリノ★2や、望遠鏡では観測できない低温のガス惑星、褐色矮星、微小ブラックホールなどではないかと推測されたこともあった。

だが観測技術が進むにつれ、これらの質量をどんなに多めに見積もっても、ダークマターの必要量にはまったく足りないことがわかった。いま残されている候補は、**ウィンプス★3（WIMPs）**とか**アクシオン★4**と呼ばれる未発見の謎の粒子だけだ。

ダークマターは宇宙初期に大量に誕生し、いまもそのまま存在することになる。とすると、それらの粒子の寿命は宇宙年齢より長いことになる。またいたるところに

★2 ニュートリノ
素粒子のひとつ。一部の放射性物質が崩壊するときに放出される。非常に軽いうえ、他の物質とほとんど相互作用しない。地球にも1平方cmあたり660億個のニュートリノが降り注ぐが、ほとんどが地球を貫通する。

★3 ウィンプス
質量をもち、弱い力（自然界の力のひとつ）がはたらく粒子。超対称性理論が予言するニュートラリーノなど。超対称性理論は、素粒子にはそれぞれスピン（粒子の〝自転〟）の異なるパートナーが存在すると見る。ニュートラリーノはニュートリノのパートナー。

★4 アクシオン
強い力（自然界の力のひとつ）の性質を説明するために存在が予測された粒子。質量は電子の20億分の1以下と見られる。理論上は、宇宙の初期に大量に生成するほか、太陽でもつくられる。光子とわずかに反応する。

✴Column✴

最初の星“ファーストライト”

宇宙誕生から約１億年後、宇宙はまったき闇のうちにあった。物質はあっても**星が存在しなかった**からだ。

まもなく、重力によって物質（おもに水素）が集まり始めた。その中心部は重力で強く圧縮されてしだいに高温となり、ついに「**核融合**」が始まった（パート１太陽参照）。**最初の星**が生まれて光を放ったのだ。これが宇宙の夜明けを告げる“**ファーストライト**”となった。

最初の星がいつ生まれたかはわからない。近年の宇宙背景放射の観測は宇宙誕生から約１億8000万年後に星が存在したことを示唆するが、時間的に早すぎるとの指摘もある。

宇宙初期の星々はほぼ水素からできており、**大きさは太陽の数百倍**に達した。まだ重い元素が存在しなかったため、莫大な量の水素が集まったときにはじめて核融合が始まった。

これらの青く明るい第１世代の星々は、いったん核融合が始まると燃料（水素）をあっという間に使い果たした。**誕生からわずか数百万年（太陽の寿命の数千分の1）で超新星爆発を起こした**のだ。そして、星の内部で生み出された炭素や酸素、鉄などを大量に周辺宇宙にばらまいた。われわれ**生物の体はこうして星が生み出した元素でつくられている**。

図2-8 ⬆約130億年前の巨大なガス雲「ヒミコ」。邪馬台国の女王の名にちなむこのガス雲では、星々が活発に生まれている。写真の３つの点は星の集団。写真／NASA／JPL-Caltech／STScI／NAOJ／Subaru

大量に存在するにもかかわらず見つからないとすれば、ふつうの物質を幽霊のごとくすり抜ける性質をもつことにもなる。

そこでいま世界各国で、最後のダークマター候補であるウィンプスやアクシオンの探索が行われている。（図2-7）。だが2019年はじめのいま、**それらしい粒子の影さえみつかっていない**。

ダークマターの存在は、複数の観測結果や理論からたしかだと見られており、銀河形成理論には欠かすことができない。だが実際の**ダークマターが今後も見つからないなら、銀河誕生の理論だけでなく、より根本的な重力の理論や宇宙論にも疑問が生じる**ことになる。それはすなわち、**宇宙の見方の全面的見直し**である。●

●パート3

宇宙の始まり

宇宙膨張を加速させる謎のエネルギー

始まりは一般相対性理論の予言

いまから40年以上前の1977年、アメリカのNASAが惑星探査機**ボイジャー1号**（図3-1）を送り出した。そして2012年、太陽系宇宙を飛び続けたボイジャー1号はついに、**人類史上はじめて太陽系を抜け出し、外宇宙への、すなわち恒星間空間への永遠の旅**についた。2019年のいま、1号と同時期に打ち上げられたボイジャー2号もまた太陽系を脱出しつつある。

太陽系宇宙は、われわれが容易に想像できないほど広大な空間である。だがこれも、銀河系（天の川銀河）の中ではきわめてちっぽけな片隅でしかない。さらにその銀河系でさえ、宇宙に存在する1000億以上の銀河のひとつでしかない。**人間は、おのれが生きている太陽系さえろくに知らないにもかかわらず、無謀にも全宇宙を理解しようとしている**。身のほどを知らぬ試みではある。

宇宙を理解しようとする現代科学の試みは、ただひとつの方程式から始まった。それは「**重力方程式**」、別名「**アインシュタインの場の方程式**」である。

この方程式は、1915年に**アルベルト・アイン**

←約140億年前に誕生した宇宙は、星や銀河などの構造を生み出しながらいまも膨張しつづけている。

イラスト／Coldcreation

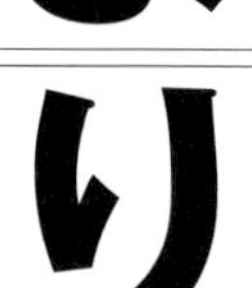

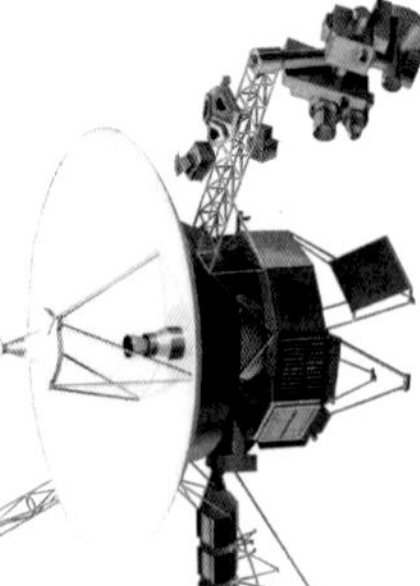

図3-1 ⬆太陽系を飛び出した最初の人工物「ボイジャー1号」。 イラスト／NASA

図3-2　宇宙の進化（最新モデル）

宇宙の晴れ上がり
（宇宙背景放射）
ビッグバン
インフレーション
膨張の加速
膨張の減速
宇宙空間
宇宙の誕生

シュタインが提出した「**一般相対性理論**」の中核をなしている。その後世界一有名になったこの物理理論は、**物質と時空**（時間と空間）の関係を、誰もが聞いたことのない新しい見方で表していた。その核心は「**重力は時空のひずみである**（＝物質はそれ自身の重力によって周囲の時空をゆがませる）」というものである。重力方程式はこれを数式化したものだ。

　この方程式を宇宙全体にあてはめたらどうなるか？　これを考えたときのアインシュタインは、宇宙のどこにいっても星々が静止して存在する空間、まったき静穏の世界を思い描いていた。だが結果は彼を困惑させるものだった。というのも、そのような宇宙では散りばめられた無数の星々が互いの重力で引き合って収縮し、たちまち中心へと落ち込んでつぶれてしまうからだ。

　アインシュタインは方程式に間違いがあると考え、確証のないままに手を加えた。すなわち宇宙が収縮せず静止状態を保つように、〝**収縮に対抗する力**〟**を仮定して方程式に加えた**のだ。彼はその力を**「宇**

宙項」と呼んだ。宇宙項とは、重力とは逆の力、つまり反発力（斥力）である。

彼の理論はすぐに当時の世界の物理学者たちの知るところとなった。そしてこれを見た人々の中から、ロシアの**アレクサンドル・フリードマン**やベルギーの神父で物理学者の**ジョルジュ・ルメートル**などが、宇宙項などというご都合主義の力を足さずとも宇宙はつぶれないことを、理論的に示してみせた。それどころか彼らは、たとえ無数の物質（星々）があっても**宇宙は〝膨張〟する**と主張したのだ。

だがもしも宇宙が果てしなく膨張し続けているとしたら、逆にその宇宙を**過去へ過去へとさかのぼれば宇宙はどんどん小さくなり、ついには点になってしまう**はずだ。

当時の科学者たちは、そのような宇宙の見方（宇宙観、宇宙論）は荒唐無稽だと考えた。誰が見ても宇宙はあらゆる物質を包含して永遠にあり続け、そこに始まりや終わりがあるとは考えられなかったからだ。問題の方程式を提出したアインシュタイン自身もそのような宇宙の見方を批判した（もっとも聖職者は聖書に合致するとしてこの見方を歓迎した）。

数千億の銀河を閉じこめた〝火の玉〟

1925年、そこに一石が投じられた。後に20世紀最大の天文学者と呼ばれるアメリカの**エドウィン・ハッブル**が、当時世界最大の望遠鏡を用いて、われわれの銀河系の外の宇宙にも多数の銀河が存在することを見いだした。

彼の観測では、はるか遠方のそれらの**銀河はわれわれから遠ざかりつつあった**。しかも銀河はばらばらに動いてはおらず、遠い銀河ほどより速く遠ざかっていた。そのため、それらを含む**宇宙全体は風船がふくらむように膨張している**と推測された。銀河までの距離とそれが遠ざかる速度は比例しており、その関係は後に「**ハッブルの法則（ハッブル＝ルメートルの法則）**」と呼ばれることになる。

こうして宇宙は膨張していることになり、科学者たちはこれを事実として受け入れた。アインシュタインは、自らがつくった重力方程式に余分な力（宇宙項）を付け足したことを後悔し、後に「わが生涯最大の過ち」とまで口にしたとされている。

他方、第二次世界大戦終結からまもない1947年、ソ連（現ロシア）生まれでアメリカに亡命した**ジョージ・ガモフ**が、宇宙の姿の考察に新たな進展をもたらした。それまで考えられていた宇宙の姿にまったく新しい視点を加えたのだ。それは、「**宇宙の全物質は極小の〝火の玉〟から誕生した**」という革命的な見方だった。

ちなみにガモフは、『不思議の国のトムキンス』『宇宙の創造』など一般向けに膨大な科学解説書や教科書を書き、戦後の日本でも全国の中学校の図書館などで翻訳書が広く読まれていた。彼は第一級のサイエンスライターでもあり、日本人はガモフの啓蒙書によってはじめて宇宙の科学的見方や物理学の世界を知ったのであった。

ガモフは自説の中で、爆発的膨張を始めた瞬間の宇宙を描いた。それは、**目に見えないほど小さな空間に、いまの宇宙をつくっている全物質――100億以上の銀河！――が閉じ込められていた**ところから始まる。原子より小さいその宇宙は密度がとてつもなく高く、圧力と温度もきわめて高い。この宇宙がいっきに膨張しはじめると、**密度が下がるにつれて温度も下がり、最初の物質である中性子や陽子などが生まれ**、さらにそれらが結合して元素が誕生した。ガモフのこの見方は、現在の宇宙の見方の主流である「**ビッグバン宇宙論**」そのものだ。

その後、天文学の観測や物理実験を通して、多くの研究者がビッグバン宇宙論に修正を加えてきた。21世紀前半のいま、世界の宇宙論学者たちはどのような宇宙誕生のシナリオを描いているのか？（31ページ図3-2）。

始まりは「真空エネルギー」？

まず**140億年ほど前、〝宇宙のタネ〟があった**（後述）。1個の電子より小さなこのタネは、一瞬で途方もない大きさにふくれあがった。10^{26}〜10^{30}倍、つまり10兆×10兆×1倍〜1万倍にも成長（膨張）したのだ。その時の膨張速度は光速をはるかに超えていた。

この急速膨張は「**インフレーション**」と呼ばれる。これは1980年代はじめに東京大学の**佐藤勝彦**やアメリカの**アラン・グース**が提案したものだ。

このアイディア（インフレーション理論）は、ビッグバン宇宙論が説明できない複数の問題を解決した。★1 そこで現在の宇宙論は、インフレーション理論とビッグバン理論を合体させたものになっている。

　だが問題は残されている。それは、ではそもそも最初のインフレーションはなぜ起こったのか？　これがわからなければ、宇宙論全体は絵に描いたモチである。

　インフレーションを起こしたしくみについて物理学者たちが考えた仮説は**〝負の圧力〟をもつ「真空エネルギー」**★2が、点のような原初の宇宙を一瞬で引き伸ばしたというものだ。この奇怪なシナリオは、相対性理論とはまったく相容れない「**量子力学（量子論）**」から導かれたものだ。ともあれ、このインフレーションが終了したとき、宇宙は**超高圧・超高温の〝火の玉〟**へと加熱された。ビッグバンの始まりである。

　誕生直後の〝火の玉宇宙〟は巨大なエネルギーのかたまりであり、そこに物質は存在せず、内部では**素粒子**が生まれては消えていた。宇宙が膨張して温度がいくらか下がると、素粒子どうしは結合して、陽子や中性子、電子などを生み出した。**宇宙誕生から90秒ほど後にはいまの宇宙に存在するすべての陽子や中性子がつくられ**、ついでそれらが結合してヘリウムなどの原子核が姿を現した。現在の宇宙の〝原材料〟がそろったのだ。

　これらの原子核や電子は高いエネルギーをもち、はげしく動きまわっていた。原子核も電子も**プラズマ**、すなわち電気をもつガスである。宇宙を満たしていた光の粒子（光子）はたえずこれらのプラズマとぶつかり、跳ね返って向きを変え、吸収されたり放出されたりした。

　だが宇宙誕生から38万年ほどたったころ、状況は一変した。宇宙の温度が十分に下がったため原子核が周辺の電子をとらえ、電気をもたない「**原子**」に変わったのだ。このときの宇宙の温度は約3000度C、われわれの太陽の表面温度と大きくは変わらない。ここに至ると、光の粒子である**光子はもはやプラズマに邪魔されず、宇宙**

★1　代表的な矛盾は「地平線問題」。われわれの宇宙は宇宙背景放射を見るかぎり、物質やエネルギー分布がほぼ均一。しかしこれは、光の届く距離（地平線）を超えて物質やエネルギーが〝かき混ぜられた〟ことを意味し、物理学的におかしい。インフレーション理論では宇宙誕生直後にいっきに時空が引き伸ばされるため、この問題は生じない。

★2　**真空のエネルギー**　真空とは何もない空間を意味する。しかし、量子論的に考えると何もない空間でも、粒子が現れたり消えたりしている。このような空間はエネルギーをもつ。

★3　宇宙背景放射のゆらぎは、宇宙初期の物質やエネルギーの密度の変化や動きなどを反映する。そこでゆらぎの観測結果を解析して、宇宙モデルにあてはめると、宇宙年齢や物質の量などを推測できる。ただし、モデルから求めた宇宙の膨張速度が観測値と一致しないなどの問題もある。

空間をまっすぐに走り抜けるようになった。それまでプラズマが満ちていた宇宙はいまや澄みわたって透明になった。**宇宙が〝晴れ上がった〟**のだ。このときの光はいまもその残滓（ざんし）が宇宙にうっすらと残されており、天文学者たちはそれを「**宇宙背景放射**」と呼んで観測している。

その後宇宙はますます膨張しかつ冷えていった。すると、宇宙全域に広がっていた**物質は重力に引き寄せられていたるところに集まり、無数の星々や銀河を生み出した**——これが誕生後の宇宙についてのシナリオである。

〝宇宙の化石〟で宇宙年齢を計算する

しかし、この壮大な宇宙のシナリオが事実か否かを、どうすれば検証できるのか？

限られた手がかりのひとつが、いましがたの宇宙背景放射である。この光すなわち電磁波（マイクロ波）は、過去を見る化石のようなものだ。宇宙誕生後まもなく、つまり**約140億年前の出来事がそこに記録されている**からだ。この微弱なマイクロ波は宇宙全域から地球の方向にも飛来している。この電磁波が放出されたときには、誕生から38万年後の宇宙の温度3000度Cを示していたはずだ。しかしそのときから宇宙が膨張してきたために波長が引き伸ばされ、それが示す温度はいまでは**絶対温度2・7K（＝マイナス約270度C）**に低下している。

NASAやヨーロッパ宇宙機関（ESA）の観測衛星は

✴Column✴

宇宙が死ぬとき

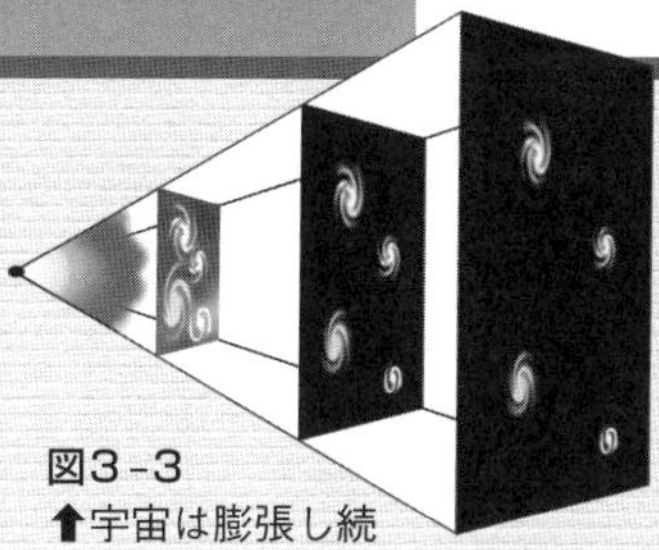

宇宙もいつか死ぬ——宇宙論学者や天体物理学者はそう考えている。どのような死かは不明だ。もし宇宙の全物質がある質量（**臨界質量**）より大きければ、宇宙はその重力によって未来のある時点で膨張から収縮に転じ、**銀河や星々を呑み込みながらついには一点につぶれる（ビッグクランチ）**。

逆に臨界質量より小さければ、宇宙はひたすら膨張し続ける。宇宙の物質密度は下がり続けてもはや新しい星は生まれず、年老いた星は燃え尽き、最後は**冷え切った暗黒の空間のみが残る（ビッグフリーズ、ビッグチル）**。

他方、本文で見たようにダークエネルギーが宇宙膨張を加速し続けると、ついにはその勢いで**時空もろとも星や惑星、原子までも引きちぎられてばらばらになる（ビッグリップ）**。

図3-3
⬆宇宙は膨張し続け、最終的に暗黒の空間のみが残るのか、それとも——？
図／Fredrik

これまで、宇宙背景放射をくわしく観測し、宇宙の始まりに近づこうと試みてきた。[★3] そこでわかったのは、宇宙背景放射は場所によって非常にわずかながら**温度の違い（ゆらぎ）**があることだった。

ゆらぎの解析結果はさきほどのインフレーション理論を裏付け、宇宙の年齢についてもより厳密な推測を可能にした。140億年程度とされていた宇宙の年齢は、いまでは138億年に修正されている。

ダークエネルギーが宇宙を〝引き裂く〟のか？

だがこれで宇宙誕生の謎が解けたわけではない。というのも、これらの観測は研究者たちを困惑させるより深い謎を次々にあぶり出したからだ。

そのひとつは宇宙の物質の量である。前記の宇宙背景放射から求めた**物質（陽子や中性子、電子など身のまわりに存在する物質）の量は、宇宙の全エネルギーに比べてあまりに少なく、わずか5％ほどしかない**。われわれが〝普通の物質〟と呼ぶにはまったく普通ではないのだ。

実際には**宇宙の27％は正体不明の「ダークマター（暗黒物質）」**（20ページ銀河の記事参照）であり、さらに最大の割合、じつに**68％は「ダークエネルギー（暗黒エネルギー）」**だという。このダークエネルギーは身近に大量にあってもわれわれは気づかないようなのだ。

ダークエネルギーの存在は1990年代から予言されていた。**超新星の観測から宇宙の〝膨張が加速〟していること**がわかり、それを駆動する力がダークエネルギーと呼ばれた。

ダークエネルギーの正体はいまも謎である。だがそれは宇宙空間の何らかの性質――2つか3つの候補が考えられている――と見られている。もっとも有力なのは、ダークエネルギーはインフレーションを駆動した力と同じく真空エネルギーであり、**時空の反発力**としてはたらくという見方だ。それはまさしく、**アインシュタインが自ら最大の過ちだったと言って後悔した宇宙項そのもの**だ。苦肉の策でひねり出したものだったが、アインシュタインは過ちを犯したのではなかったらしい。しかし、時空になぜこのような性質がそなわっているのかはまったくわかっていない。

ダークエネルギーは宇宙の膨張とともに増大する。そのため一部の研究者は、このエネルギーによって膨張が加速

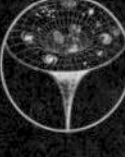

しつづけ、そのとてつもないスピードによって**宇宙は「バラバラに引き裂かれる（「ビッグリップ」）」**と考えている。

相対性理論と量子論の衝突

そして究極の謎は、すでに見たインフレーションを起こす前の宇宙の〝タネ〟が、なぜどこから生まれたのかである。それは**〝無〟から生まれた**と見る宇宙論学者がいる一方で、いまの宇宙が生まれる前に存在した**別の宇宙のどこかでインフレーションが起こり、それがわれわれの宇宙になった**とする説もある。他にも、古い宇宙が収縮して超高圧・超高温の点になり、それが新たな宇宙のタネになった、そもそもインフレーションは起こらなかった、などの説も提起されており、すべては混沌状態である。

これらはみな宇宙のタネを出発点とする宇宙誕生理論である。しかし宇宙論の出発点である**一般相対性理論は、宇宙のタネの状態では破綻**する。このようなミクロの宇宙を語るには量子論が不可欠だが、両者は相容れない存在である。宇宙論はいつのまにか、**一般相対性理論と量子論の〝衝突の場〟**になっているようなのだ。

いま科学者たちに課せられた最大の課題は、**一般相対性理論と量子論をひとつの理論に統合し、その上で宇宙の始まりを再構築**することである（図3－4）。その試みはかなり前から行われているが、さしあたり成功は見通せない。

最新の宇宙観測は次々に新発見をもたらしているが、それらの発見が宇宙最大の謎の解明へと導いてくれているようにも見えない。**宇宙を深く考えれば考えるほど、われわれはより深遠な謎の深みにはまる**ばかりである。●

図3-4 ブレーンワールド

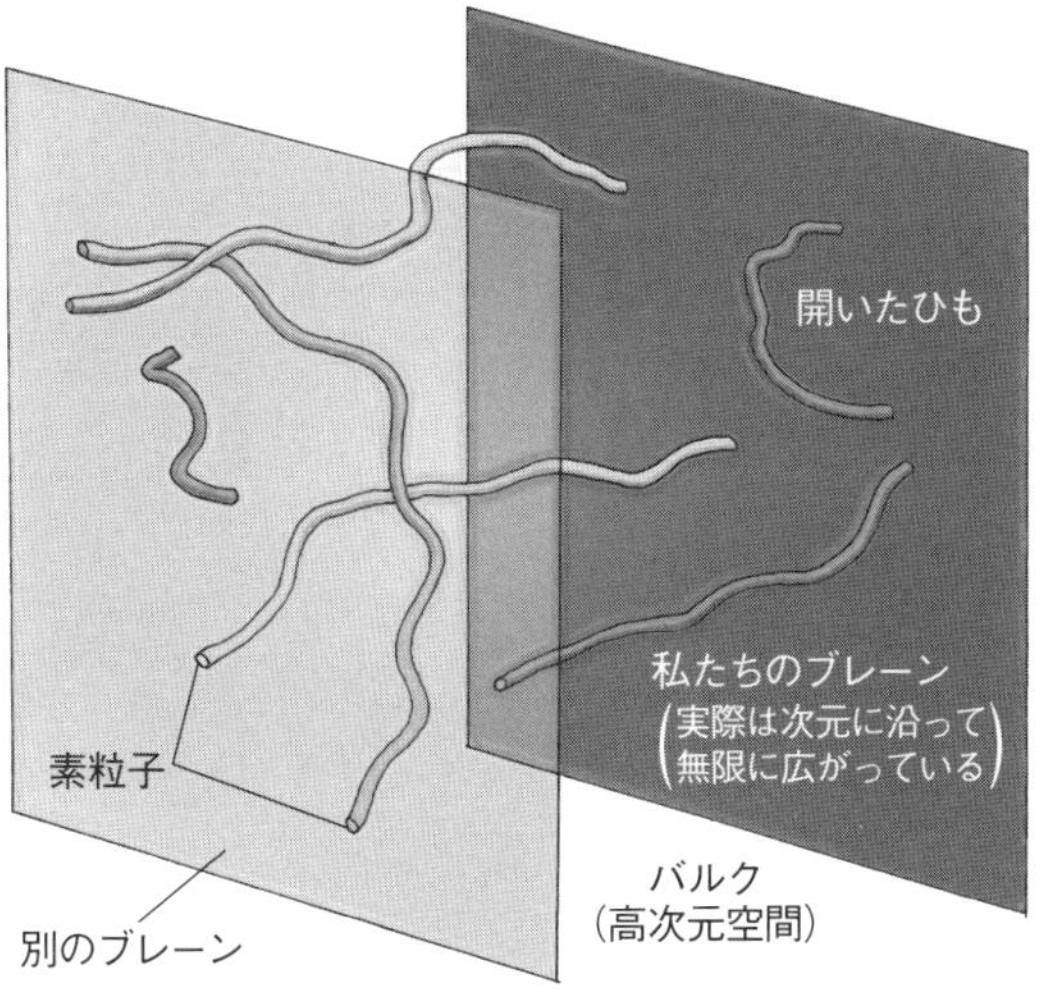

⬆相対性理論と量子論を統合させた理論が生んだ宇宙モデル。われわれの４次元宇宙（図では２次元の膜＝ブレーン）は、より高次元の空間（バルク宇宙）に浮いていると見る。２つの膜が接触するとビッグバンが起こる。

作図／十里木トラリ

●パート4

時間の始まり

「絶対時間」から「存在しない時間」まで

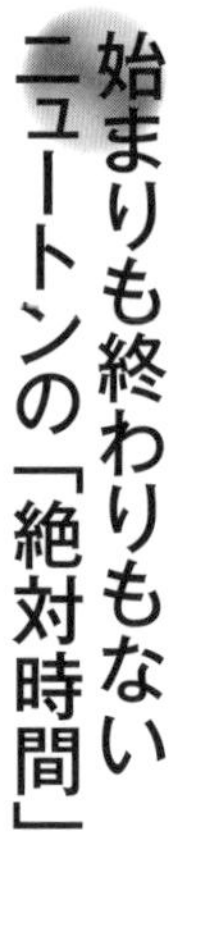

始まりも終わりもない ニュートンの「絶対時間」

すべての物事には始まりがあり終わりがある。われわれの一生は、母親の胎内からポンとこの世に現れたときに始まり（ないしは父親の精子と母親の卵子が受精した瞬間に始まり）、遅かれ早かれ心臓が鼓動を止めたときに終わる。新しい年は元日に始まり、季節の移り変わりを経て大晦日に終わる。東京駅を出発した新幹線は、５５０㎞あまりを疾走すると新大阪に到着して停止する。

物事がこのように始まりそして終わるのは、その間に「**時間が流れる**」からである。時間は過去から流れてきて現在に至り、未来へと流れ続ける。そこでは時間は他の何ものとも関わりなくそれのみで存在し、誰にとっても公平かつ同一の速さでチクタクと進んでいる――

これは、アイザック・ニュートンによる**古典的な物理学（ニュートン力学）**★1**が定義する時間**と同じ見方である。ニュートンはこの見方の上に立って、人間が感じる時間は「**相対的な時間の進み方だけ**」と考えた。われわれは忙しいときには時間が早く進み、待ち人を待っているときには、約束の時刻がなかなかやってこないと感じてイライラしたりする。そのためわれわれには、時間は自分の状態によって延びたり縮んだりするように感じる。

だが実際の時間は、人間のこうした感覚とは無関係に、宇宙のどこにおいても、いつでも、同じ速さで進んでいる。それは時計の針の動きが示すように**時間が絶対的存在**だか

写真／jailbird

らである――そこでニュートンは時間を定義し、「**絶対時間**」と呼んだ。

ただ彼は、そのような絶対時間がいつ始まったのかについては触れなかった。絶対時間というからには、それは宇宙全体を永遠に流れていることになるので、無限の過去から無限の未来まで流れ続けることになる。

絶対時間を完全否定した相対性理論

このようなニュートンの時間の定義はシンプルであり、現代のわれわれが聞いてもすなおに納得できる。実際に地上のあらゆる人間活動においては、ニュートンの時間の定義を何の問題もなく用いることができる。例外は、カーナビなどに利用されるGPS（全地球測位システム）などの人工衛星が、原子時計によってわずかな時間修正を必要とする程度である。★2

だが、ニュートンから2世紀後の20世紀はじめ、まったく新しい時間の定義が現れた。それは**アインシュタインの一般相対性理論による見方**だ。この理論が予言するところでは、時間はニュートン力学が言うような独立した絶対的存在（絶対時間）ではない。それによると、この世界、この宇宙は、空間の3次元と時間の1次元が融合した「**4次元時空（＝時空）**」だという。つまり時間はそれだけでは存在せず、**時空をつくる一要素にすぎない**というのだ。

この理論を示す方程式によると、時間はきわめて奇妙な性質をもつことになる。それは、ある物体が**空間を非常に速く運動すると、それに反比例するように時間の進み方が遅れる**というのだ。運動速度がいっそう速くなって光速（毎秒30万km）に近づくと時間の遅れは顕著になり、同時にその**物体の質量が大きくなる**。ついに運動速度が光速に達すると、**時間は完全に停止**する。だがこのとき、**物体の重さ（質量）が無限大**、つまり宇宙全体より大きくなるという矛盾が生じる。そのため、**質量をもつどのような物体も光速に達することはできない**――これが相対性理論の予言である。

この見方は人々の興味を掻き立てるが、いま見たような

★1 **ニュートン力学**
17～18世紀イギリスの数学者・物理学者・哲学者アイザック・ニュートンが考えた運動の3法則を基礎にした力学大系（古典力学）。彼の理論はその著書『プリンキピア』に述べられている。

★2 **GPSと原子時計**
GPSは「全地球測位システム」を意味する英語の略。自らの地球上の位置を高精度で測定できるように30基以上の人工衛星が地上に電波を送るシステム。その精度を維持するため小型の原子時計を搭載する。アメリカが軍事用に開発したものだが、カーナビなどの民生用にも利用されている。いまではヨーロッパ、ロシア、中国、日本なども類似のシステムを運用する。

性質をもつ4次元時空もまた問題含みである。というのも、空間の3次元――たて、よこ、高さ――については、われわれが望めばその方向を前後左右や上下にたどって移動できる。ところが4番目の次元である時間だけは、現在から未来へと一方向にしか進めない。その点はニュートンの絶対時間と同じだ。これはなぜか?

イギリスの大天文学者**アーサー・エディントン**は1927年、このような時間の一方向性を〝**時間の矢**〟と呼んだ（**下コラム**）。これは、相対性理論には互いに相容れない性質が混在しているという問題の指摘でもある。

ある物理の方程式に1個の変数（パラメーター）として時間が含まれている場合、その時間がプラスでもマイナスでも、つまり未来に向かっていても過去にむかっていても、その方程式がもつ基本的性質は変わらない。この性質は「**時間の対称性**」と呼ばれる。また、目に見えないミクロの世界を扱う量子力学の世界では、そこで起こるすべての出来事には対称性があるとされている。そこでは右も左も同じ、上も下も同じであり、過去も未来もない。

そこで、こうした性質を利用できれば、われわれは未来へも過去へも自在に行けるのではないか? 実際にこうした見方を拡大解釈して現実世界にあてはめ、未来や過去を行き来するサイエンス・フィクションも書かれている。だがわれわれの生きている現実世界に、そんな可能性が顔を出すことは決してない。それは、さきほどの〝時間の矢〟がこの宇宙を完全に支配しているからだ。

ともあれ、一般相対性理論もまた、時間がいつから流れ始めたのか、つまり本稿のテーマである時間の始まりについては何も触れていない。

Column

エントロピーと“時間の矢”

コーヒーにミルクを入れるとそれらは混じり合い、決してもとのコーヒーとミルクに分離することはない。2つの物質どうしの**“無秩序さ”は増大**していく。

無秩序の度合いを意味するエントロピーは本来、熱力学の概念（熱力学第2法則）である。そこでは、ある系の**エントロピーは時間とともに一方的に増大するのみ**で、減少することはない。これは古典物理の世界で**唯一、時間という「方向性」をもつ現象**である。この時間は**過去から未来へと矢のように流れ、逆方向には流れない**。そこでエントロピーは“時間の矢”にたとえられる。ただし**生物体**などは無秩序な状態から秩序が生じるので、**時間の矢は例外的に逆流する（=エントロピーが減少する）**ことになる。

ホーキング「私なら説明できる」

時間の始まりをようやく問題にできるようになったのは、

一般相対性理論をもとにして、この宇宙がいつどのように誕生したかを説明しようとする理論、すなわち**ビッグバン宇宙論**（パート3）が誕生したときである。

ちなみにアインシュタインは当初、自分が考え出した相対性理論から宇宙の起源についての理論であるビッグバン宇宙論が生まれるとは予想もしていなかった。

そのビッグバン宇宙論の最新バージョンによれば、われわれの宇宙は138億年前に突如〝無〟から生まれた。この宇宙が生まれる前は無だったというのだから、論理的に考えるなら、宇宙誕生以前には、宇宙が存在しなかっただけではなく時間も存在しなかったはずだ。つまり宇宙誕生とともに時間も流れ始めたことになる。ここまできて**はじめて物理学は、時間がいつ始まったのかに言及した。**

この見方では、時間はニュートンが言うように他の何ものにも影響されずに流れる絶対時間ではなく、宇宙の一要素としてしか存在しないレベルまで〝格下げ〟された。

では宇宙誕生以前の無と誕生後では、何がどう違っていたのか？　物理学のこの根源的な疑問は、世界中の物理学者や宇宙論学者にも容易には答えの出せない問題である。

ところがこの疑問について「私なら説明できる」と主張する者がいた。読者の多くがその名を知っているに違いないオクスフォード大学の**車椅子の物理学者スティーヴン・ホーキング**（2018年3月14日死去）である。

ホーキングは生前、ある科学雑誌のインタビューで、「われわれが文字どおりに理解している**時間は、宇宙がビッグバンによって爆発的に膨張しはじめる前には存在しなかったのです**」と答え、次のように説明している。

北極点に北極点は存在しない＝無境界仮説

それによると、時間を138億年前のビッグバンの瞬間までさかのぼって追跡していくと、宇宙はいっきに小さくなるので、そこでは〝時間の矢〟もまた無限小へと折りたたまれ、ついにはどこから時間が始まったかわからなくなる。そしてついに138億年前にたどり着いたとき、全宇宙は目に見えない1個の原子より小さくなっている。

ここまで収縮した状態の宇宙は、物質・密度・温度が無限大の「**特異点**」となる。この特異点は、近年メディアなどでよく用いられる特異点、つまり人工知能がある時点で人間の知能を超える点（そんな点はあり得ないが）という意味の技術的特異点とはまったく別物なので、混同しては

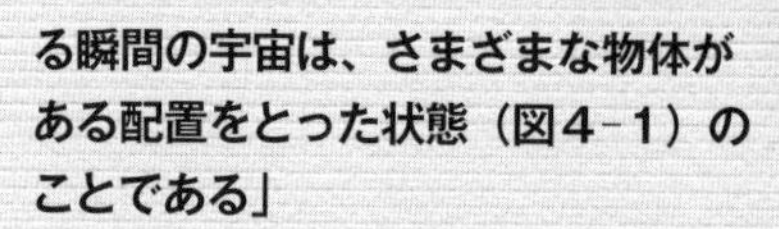

図4-1 ➡宇宙は一瞬一瞬が永遠の存在であり、時間が流れていくと感じるのは人間の錯覚である——これがジュリアン・バーバーの見方だ。

図／十里木トラリ

る瞬間の宇宙は、さまざまな物体がある配置をとった状態（図4-1）のことである」

　そしてバーバーはここから、一般人がめまいを覚えそうな結論を導いた。それは、宇宙の**過去・現在・未来の物質配置はすべて独立して存在**し、それは永遠の存在である、というものだった。つまり、われわれは過去から未来へと一方向に流れる宇宙で生きているのではなく、一瞬一瞬が重なる**無数の静止した宇宙**で、少しずつずれた物質配置として同時に存在する。それが、われわれの考える“現在”だというのである。これは昔の映画フィルムのようなものだ。ほんの少しずつずれた映像は静止しているが、映写機にかけるとそれらが流れて、われわれの現実世界のように見える。

　彼の理論が発展すると、時間とは人間がおのれの生物的感覚から考える概念にすぎず、タイムトラベルなどというものは存在し得ない。タイムトラベルをしたい者は、単に無数に存在する**静止宇宙の中から、行きたい先の宇宙へと自由に移動すればよい**ことになる。タイムトラベルのためにワームホールやブラックホールを利用する必要もない。ちょっと隣の家に遊びに行くように、静止宇宙の間を行き来すればよいことになる。

いけない。

　だが、この宇宙の特異点ではいっさいの物理法則は崩壊し、そこでは過去も未来も見分けることができない。そこで特異点を避けて通るためにホーキングと共同研究者ジェームズ・ハートルらの考え出した手法が、「**無境界理論**」である。これは簡単にいえば、「**宇宙は有限だが、その（明瞭な）境界は存在しない**」とするもので、彼らはこのアイディアの着想をすでに1980年代に発表していた。

　宇宙の特異点の状態は複雑である。そこでは粒子が飛び出したり消えたりし、空間と時間は切り離されている。その時間はわれわれが考える時間とは別物であり、われわれには時間が存在しないと同様だ。そのため、ビッグバンの瞬

時間は存在しない！

本文の内容とは完全に断絶しているような時間仮説も存在する。それは「**この宇宙に時間は存在しない**」とする驚くべき新理論だ。時間は人間の心が生み出す幻想にすぎず、生ける**すべてのものは“不死”**だという。

本文で見たように、これまでのどんな物理理論も時間を十分に説明してはいない。それは、ニュートン力学も相対性理論も量子論も、そもそも時間を扱う尺度が異なっているためだ。そこに登場したのが、イギリスの理論物理学者ジュリアン・バーバー。彼はその著書『The End of Time（時間の終わり）』の中で、時間についてのまったく新しい定義を説明している。

始まりは、アメリカの青年物理学者ブライス・デウィットと高名なジョン・ウィーラー（ブラックホールやワームホールの名づけ親）の出会いであった。彼らは協力して**相対性理論と量子力学を無理やりドッキングさせる方程式**を生み出した。それは、小柄な競馬騎手が着ている小さな服をマイケル・ジョーダンかジャイアント馬場が着られるように“縫い直す”という無謀なものだった。一言で言えば、有名な量子力学の**「シュレーディンガー方程式」の荒っぽい解釈**である。

この方程式は、電子の配置によって原子や分子の形が決まることを示している。2人はこれを拡大して、宇宙全体の形とその中の物質の配置がどうなるかを示そうとしたのだ。そこでは、宇宙の原子どうしは時間とともにエネルギーをやりとりして変化するが、宇宙全体は他の何ものとも相互作用しないので、宇宙をつくっているエネルギーの大きさは時間がたっても永久に一定となる。

そこで、もとの方程式から時間を排除すると、宇宙の真に単純明快な姿（数学的な答え）が現れる。常識的な物理学者はこれを一笑に付したが、スティーヴン・ホーキングやジュリアン・バーバーは真剣に受け止めた。とりわけ深く考察したバーバーは次のような仮説を導き出した――「**時間は物体が位置を変えるための手段にすぎない。したがって時間は物質のような本質的存在ではない**」「**あ**

間以前に何があったかと問うこと自体が意味をなさない。

特異点のこうした状態からホーキングらは、そこにはわれわれが地球の表面などから想像するような〝境界〟は存在しないと考えた。それはちょうど、地球の北極にむかって移動し、ついに北極点に到達すると、そこでは北極点がどこにも存在しないことを発見するようなものだ。時間もまた、ビッグバンに到達したとたんに消えてしまう。こうして見ると、時間はビッグバンの膨張とともに姿を現したことになる。それは特異点からポンと現れたのではなく、〝染み出す〟ように現れたとでもいうべきかもしれない。

（**上コラム**：「時間は存在しない仮説」も参照）●

●パート5 地球の始まり

おおもとは岩石物質か、ガス物質か？

2つのシナリオから選択せよ

われわれ全員の故郷である地球は、太陽をめぐる8つの惑星のうち、太陽に近いほうから3番目の公転軌道を回っている。つまり**太陽系の第3惑星**である（**図5－1、2**）。

地球は**太陽から1億5000万km**離れている。これは、**太陽を出た光が届くまでに8分20秒かかる**距離だ（ちなみに地球から月までは1・3秒）。億という単位がつくと途方もなく遠いと感じる人がいるかもしれないが、宇宙ではこの程度の距離はほんの隣り近所である。この太陽がなければ地球もはじめから存在せず、まして地球上の人間もほかのどんな生物も存在するはずはなかった。

だが、無数の偶然が重なり、人類の起源となる生物も含めてあらゆる生物種がはるかな昔にこの惑星地球に生まれ、いままで営々と生き続けてきた。生物種は生まれては絶滅し、また新しい生物種が現れた（パート8）。

では、われわれの故郷である**地球自体はいつどのように誕生したのか**。その歴史はどこまで明らかになったのか？

これまで惑星物理学者や天体物理学者と呼ばれる人々は長年、地球誕生の秘密を研究し、さまざまな仮説・理論を立ててきた。近年そ

図5-1 ➡太陽を公転する太陽系惑星のイメージ（実際ははるかに離れている）。内側から3番目が地球。

図／NASA/JPL

図5-2 ⬆地球の直径は1万2700kmで、表面の71%は海、残りが陸地である。地球表面の約3分の1はつねに雲におおわれている。

写真／NASA/Goddard/Arizona State University

れらのうちの2つの説が最終勝者の座を争っている。第1は「**重力不安定理論**」、第2は「**コア集積理論**」である。

第1の理論名のコアは〝中核となるもの〟の意で、一言で言えば惑星の岩石部分のことだ。この理論は、無数の岩石が衝突・合体をくり返してしだいに巨大化し、ついに地球になったという。近年メディアなどに写真が紹介される**隕石や小惑星（図5-4）は惑星コアになれなかった〝残存物〟**である。

この理論は、太陽に近い公転軌道をめぐっている岩石質の惑星（水星、金星、地球、火星）の誕生をおおむね説明できる。だが太陽から遠く離れ、地球などよりはるかに大きくガスで包まれた**巨大ガス惑星（土星、木星など）**についての説明は矛盾だらけとなる。**土星の大きさ（質量）は地球の95倍、木星は318倍**もあり、深いガスに包まれているので、地球と同じプロセスで生まれたはずはない。
　巨大ガス惑星の誕生をうまく説明できそうなのは、後述する第2の理論「**重力不安定理論**」である。

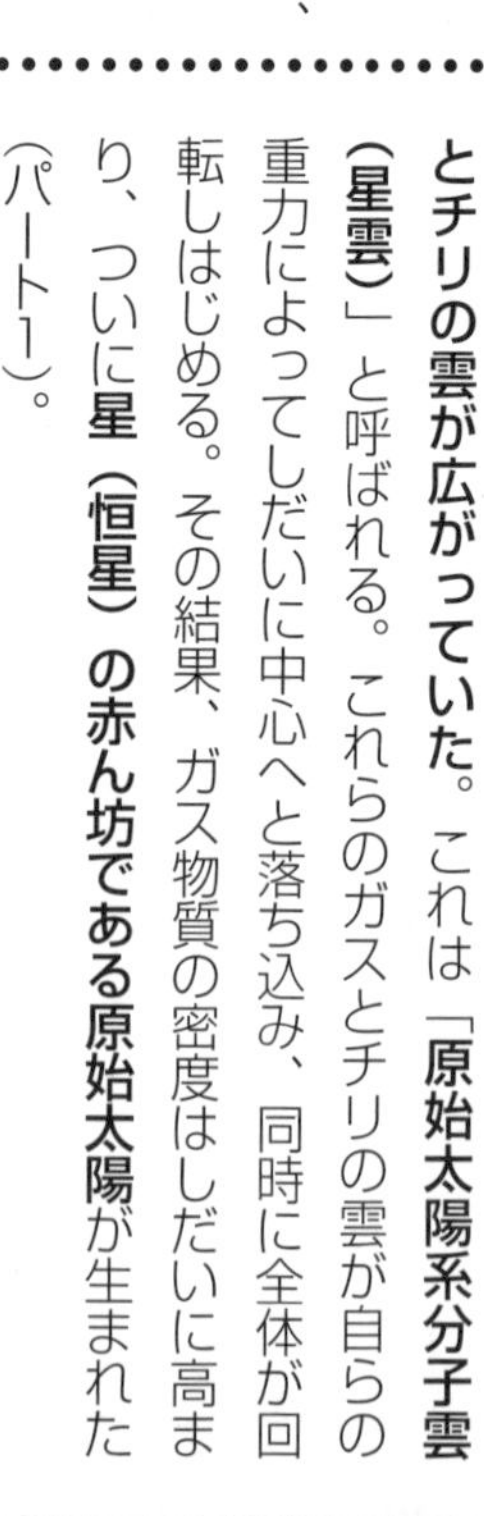

教科書が教える地球の始まりの理論

　まず第1の理論は何を言っているのか？

　いまから46億年ほど前、わが太陽系のあたりの宇宙には、**もっとも軽い元素（水素とヘリウム）からなる分子雲とチリの雲が広がっていた。**これは「**原始太陽系分子雲（星雲）**」と呼ばれる。これらのガスとチリの雲が自らの重力によってしだいに中心へと落ち込み、同時に全体が回転しはじめる。その結果、ガス物質の密度はしだいに高まり、ついに**星（恒星）の赤ん坊である原始太陽が生まれた**（パート1）。

　こうして**太陽系分子雲のガス物質の99・9％は太陽の原材料となり、残りのわずか0・1％のガス物質から8つの惑星（太陽系惑星）が生まれた。**

　原始太陽は自らの重力によっていっそう収縮して高密度となり、**中心温度は1500万度Cを超える。**するとついに**水素が「核融合反応」を起こし、**無限のごときエネルギーを放出しはじめる。超高温の表面からは電気を帯びた粒子（陽イオンと電子）が太陽風となって噴き出し、周辺の宇宙に残されている水素やヘリウムなどの軽い元素を背後の宇宙へと吹き飛ばしてしまう。

　この結果、太陽系宇宙に残されるのは重い元素だけとなり、それらが集まって直径数㎞の巨大な岩石（＝微惑星）が無数に生じる（**図5-3**）。太陽から近いところにはより重い岩石物質が集まり、水星や金星、地球や火星の原材料

図5-3 ⬆46億年ほど前、太陽をまわる無数の岩石が互いに衝突・結合し、しだいに巨大化していった。

イラスト／NASA/JPL-Caltech

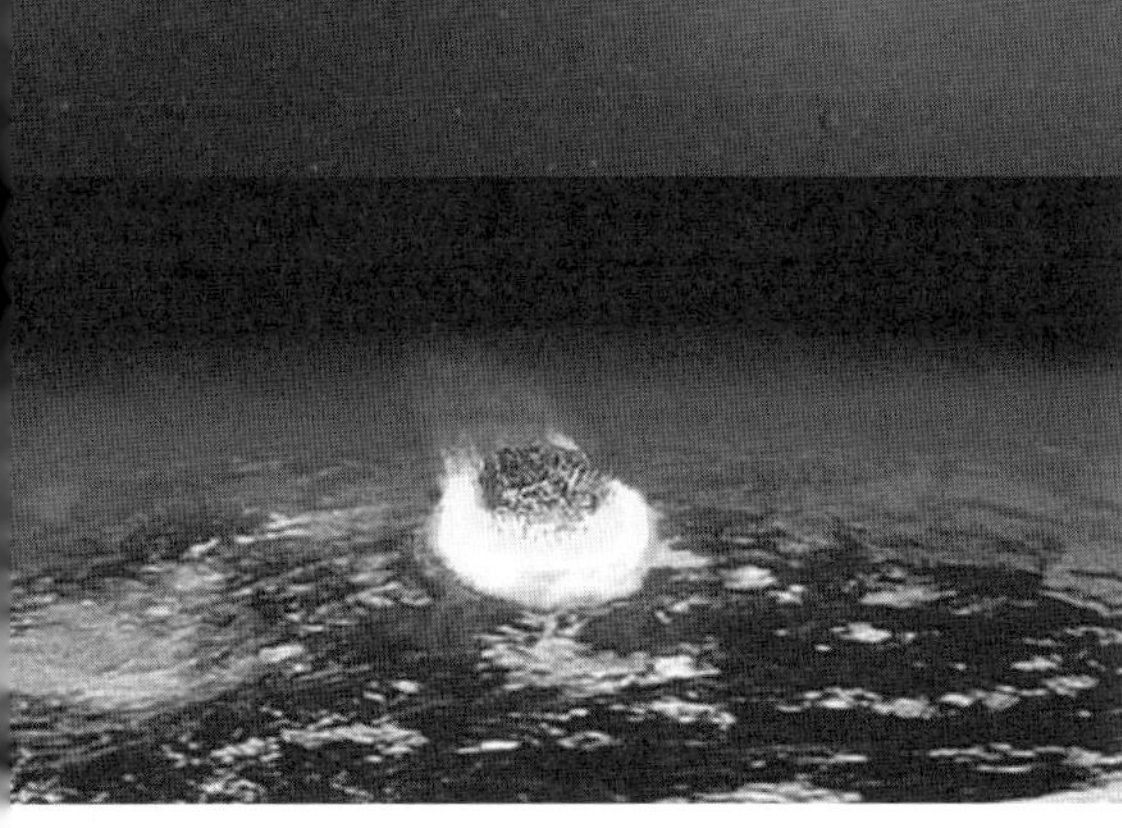

図5-4 ⬅誕生後まもない地球の海に落下する巨大な岩石塊（小惑星）。これらの小惑星が、宇宙から生命の材料を地球に持ち込んだ可能性も議論されている。

図／NASA

となる。〝太陽の残り物〟が地球などを生み出したのだ。これらの惑星が「**岩石惑星**」と呼ばれるゆえんだ。またその際に惑星の重力に引き寄せられたガスは、生まれたての惑星の原始大気となった。

他方、太陽から遠ざかるにつれて太陽風が弱まるためガス物質は完全には吹き飛ばされず、**岩石のまわりにガスが引き付けられて、土星や木星などの巨大ガス惑星の材料となった。**

このとき惑星をつくるほど大量に集まることができなかった岩石物質は、小惑星や、惑星の月（衛星）となった。小惑星はしばしば惑星に衝突して大惨事を引き起こす。**6500万年前に地球に衝突して恐竜を絶滅さ**

図5-5 地球の形成

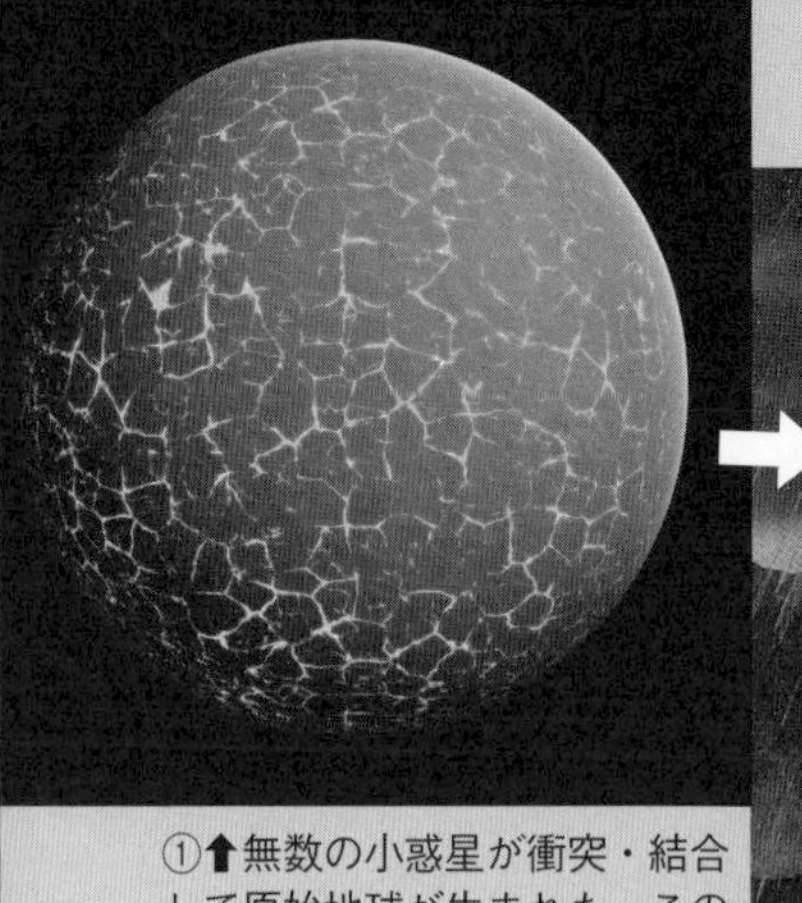

①⬆無数の小惑星が衝突・結合して原始地球が生まれた。このとき地球内部はどろどろに融けた超高温のマグマの状態だった。

②⬆生まれてまもない地球表面に何千年間も豪雨が降り続いた。そのため地表の一部は冷えて固まり、陸地となった。

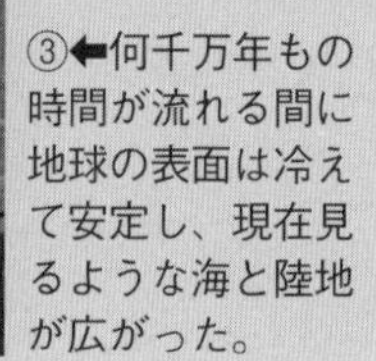

③⬅何千万年もの時間が流れる間に地球の表面は冷えて安定し、現在見るような海と陸地が広がった。

イラスト／②安田尚樹/矢沢サイエンスオフィス、③ Ron Miller

せたのは、こうした小惑星のひとつと見られている（図5-4）。ちなみに**小惑星の地球衝突は現在でも起こり得る**ため、アメリカのNASAは地球衝突の危険性のある小惑星を追跡している。

地球は生まれても木星は生まれない

こうして、地球がいま太陽をめぐっている公転軌道のあたりで岩石どうしが衝突・結合し、地球のコアとなる巨大な岩石塊が出現した。そこでは重い物質は中心部に集まり、その上に浮かぶように軽い物質が集まって地殻をつくり出した。

同時にこの〝**地球の卵**〟は磁石の性質を帯びはじめ、自らを磁場で包むようになった。さらにいまや強大になった重力は周辺宇宙からガス物

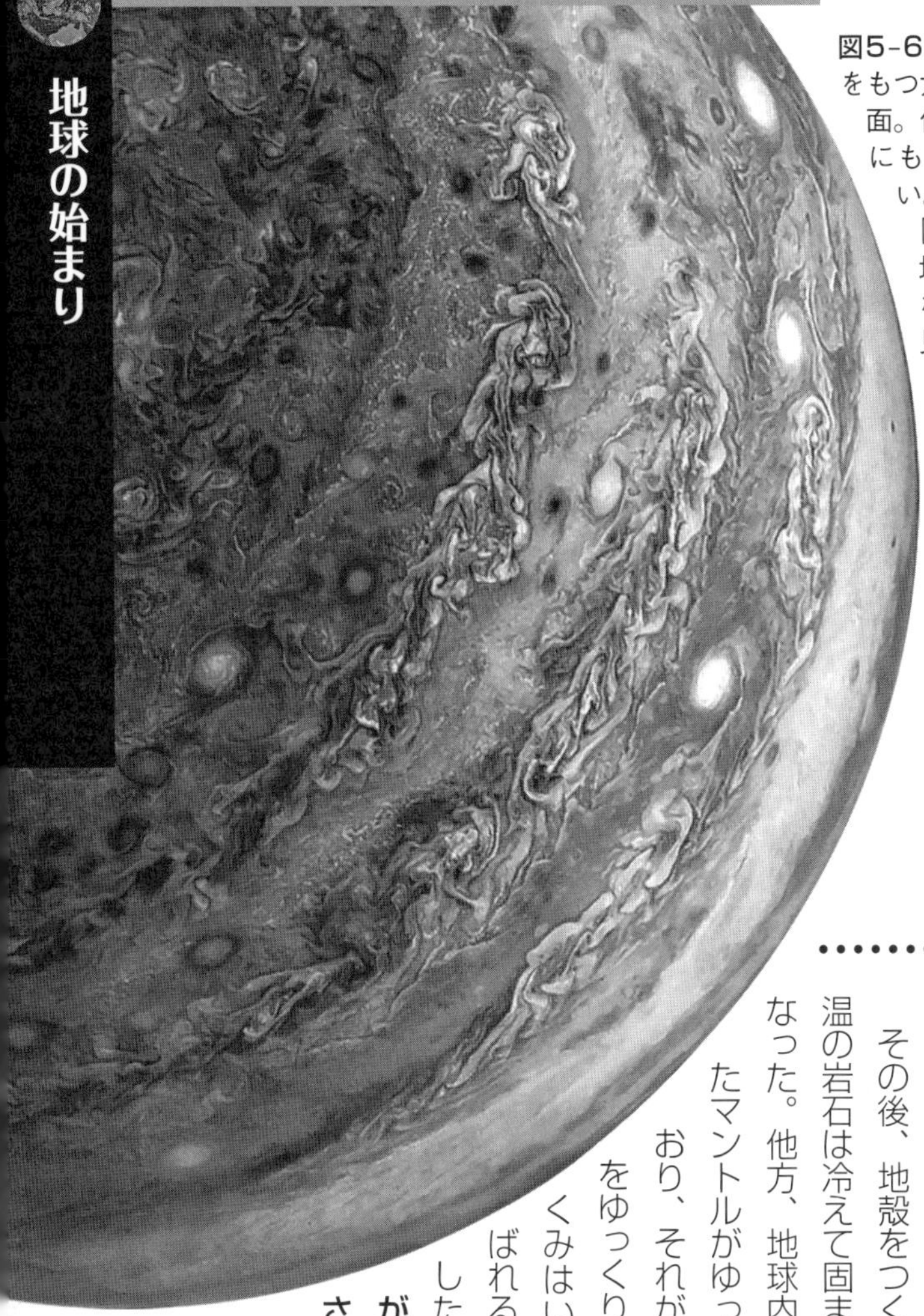

図5-6 ⬅地球の318倍もの質量をもつ太陽系最大の惑星木星の表面。体積の大半がガスで、どこにも岩石質の陸地は存在しない。そのため土星とともに「ガス惑星」と呼ばれる。地球などの岩石惑星とは異なるプロセスで誕生したと見られる。 写真／NASA

質を引きつけ、それはうすい原始大気をつくった。地球が惑星へと成長したのだ。

だが生まれたばかりの原始地球の地表は荒々しい環境にさらされた（**図5-5**）。宇宙から無数の大小の小惑星が落下し、その衝撃で地球内部のどろどろに融けたマントルを宇宙空間へはねとばした。**無数のマントルの破片は地球重力によって地球周辺に集められ、月を誕生させた**（諸説あるが）。

その後、地殻をつくっている高温の岩石は冷えて固まり、陸地となった。他方、地球内部では融けたマントルがゆっくり流れており、それが地表の地殻をゆっくりと移動させるようになった。このしくみはいま「**プレートテクトニクス**★1」と呼ばれる。これらのプレートが動いたり衝突したりすることによって**地上には山脈が生まれ、地震や火山活動が引き起こされる**ようになった。火山活動から噴出したガスは地球大気の供給源となった。

いまや原始地球はその姿をはっき

★1 プレートテクトニクス 地球をおおう厚さ100～150kmの地殻はプレートと呼ばれる板状の岩盤に分かれており、それらがばらばらに運動することで地殻変動が起こるとする理論。プレートは地球内部のマントルの流れにのってゆっくり運動する。プレートどうしの境界では衝突や水平運動の結果、山脈がつくられたり火山活動や地震などが起こったりする。20世紀初頭にドイツのアルフレート・ヴェーゲナーが提唱した大陸移動説から発展した学説。

りと現し、以来、太陽から1億5000万km離れた公転軌道を現在に至るまでめぐり続けている——以上が第1の理論の要旨だ。

だが後述のようにこの理論は地球などの岩石惑星の形成は説明しても、ガス惑星についてはまったく不十分である。

巨大ガス惑星をたった1000年で生み出す

ここで登場するのが第2の理論、つまり土星や木星（**図5-6**）などの**巨大ガス惑星についての重力不安定理論**だ。

土星や木星などを生み出すには、短い時間で莫大な量のガス物質を重力によって引き寄せねばならない。研究者たちはコンピューター・シミュレーションをくり返したが、必要量のガス物質を集めるだけで数百万年かかってしまった。だが原始太陽系星雲にはそれほどの量のガス物質は存在しなかった。大半はすでに太陽の原材料になってしまったからだ。また第1の理論では、生まれたての岩石惑星はどうしても太陽の重力に引き寄せられて呑み込まれてしまうという問題もあった。

これに対して新理論は別の見方を持ち込んだ。それは、円盤状をした原始太陽系星雲では、**太陽から遠く離れるほど重力が不安定になり**、その結果、円盤をつくっているガス雲がいくつかに分裂して寄り集まり、それぞれが巨大ガス惑星を生み出したというものだ。

これらのガス惑星は岩石惑星よりもはるかに速いスピードで——おそらくたった1000年ほどで——生み出された。この時間は宇宙では一瞬といえるほど短いが、その間にいまにも飛び散ろうとしていたガス物質を吸収してしまった。それらのガス惑星の赤子は巨大な質量をもつことで、すぐに太陽を公転する軌道を運動するようになった。

この理論は、便宜的なコンピューター・シミュレーションの産物と言って簡単に切り捨てることはできない。というのも、ノルウェー出身の観測天文学者ポール・ウィルソンが、原始太陽系星雲のようなガス円盤が重力的に不安定の場合、非常に高い確率でガス惑星が生まれることを観測で確かめたからだ。彼はミズヘビ座の星（HD9799）の観測から、その周囲のガス円盤が不安定であり、その中で**4つの巨大ガス惑星が誕生している場面に遭遇**した。類似の事例はほかにもみつかっているという。

前記の第1の理論は、小さな岩石どうしがどうやって衝

突・合体するかを説明できない。しかしそこにこの不安定理論を持ち込むと、小さな岩石どうしから惑星が誕生するまでの時間を1000分の1に早めることができるという。アメリカ、サウスウェスト研究所の天体物理学者ハロル

・・・・・・・・・・・

ド・レヴィソンはこう述べている——この新しい理論は、いままで無視されてきた太陽系形成時の**残渣である小石ほどの岩石物質こそが、太陽系惑星誕生のカギ**であることを明らかにした、と。●

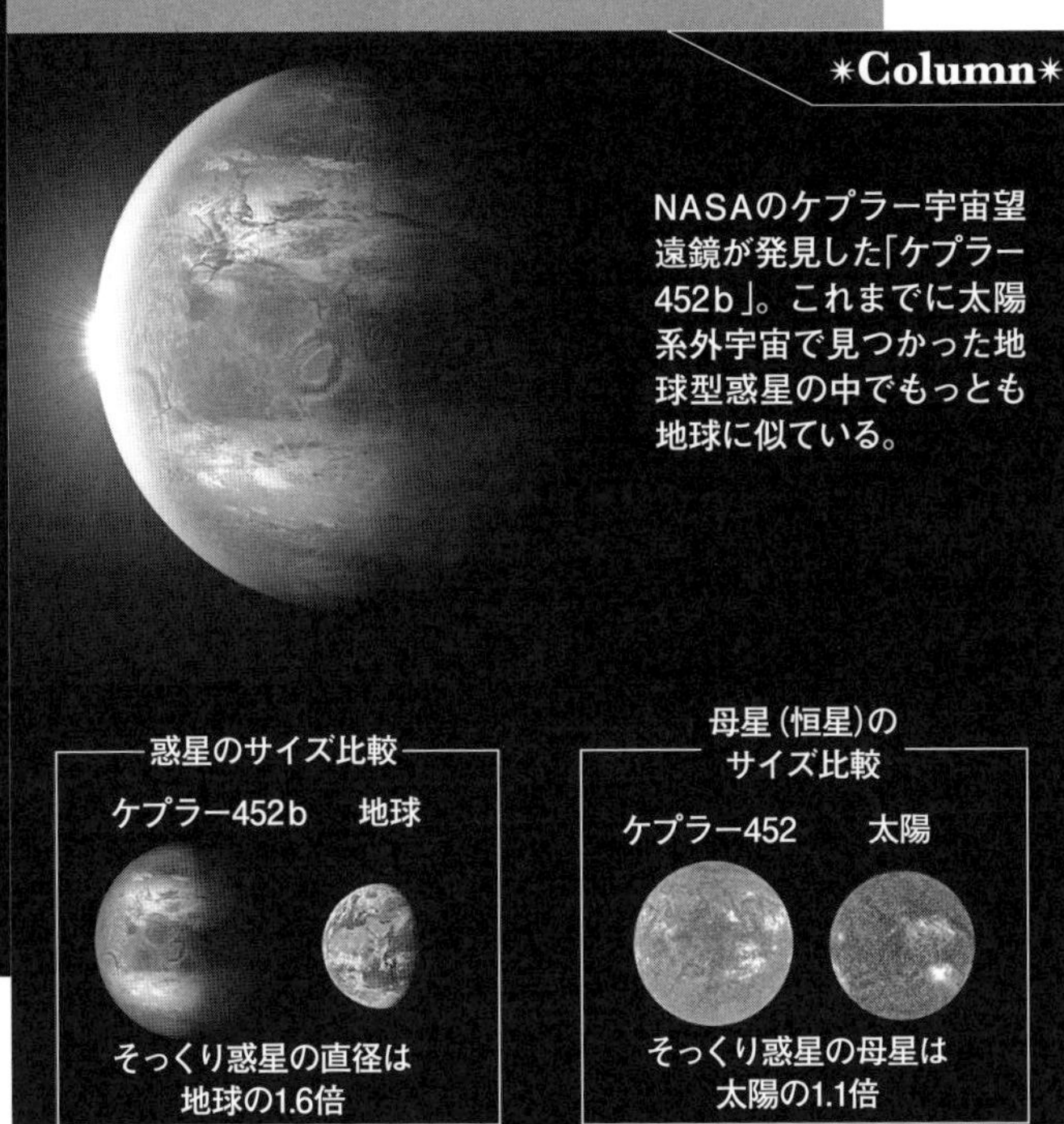

NASAのケプラー宇宙望遠鏡が発見した「ケプラー452b」。これまでに太陽系外宇宙で見つかった地球型惑星の中でもっとも地球に似ている。

地球にそっくりの惑星発見！

2015年、NASAのケプラー宇宙望遠鏡がこれまででもっとも地球によく似た惑星を発見した。「ケプラー452b」と名づけられたその惑星は、太陽系から1400光年とかなり近い星ケプラー452のまわりを、1年385日で1周している。地球と同様、ハビタブル・ゾーン（生存可能領域）にあり、水が液体の状態で存在し、生命を育む条件をもつと見られる。直径は地球の1.6倍、大気は地球より少し濃いかもしれない。NASAの研究者たちは「地球2.0」「地球のいとこ」などの愛称で呼んでいる。宇宙には地球のそっくり惑星があふれている最新最強の証拠である。

●確認された太陽系外惑星の数（2019年3月時点）

海王星型	1665
巨大ガス惑星型	1214
地球型（地球より大）	878
地球型	156
不明	12
合　計	3925

図・資料／NASA

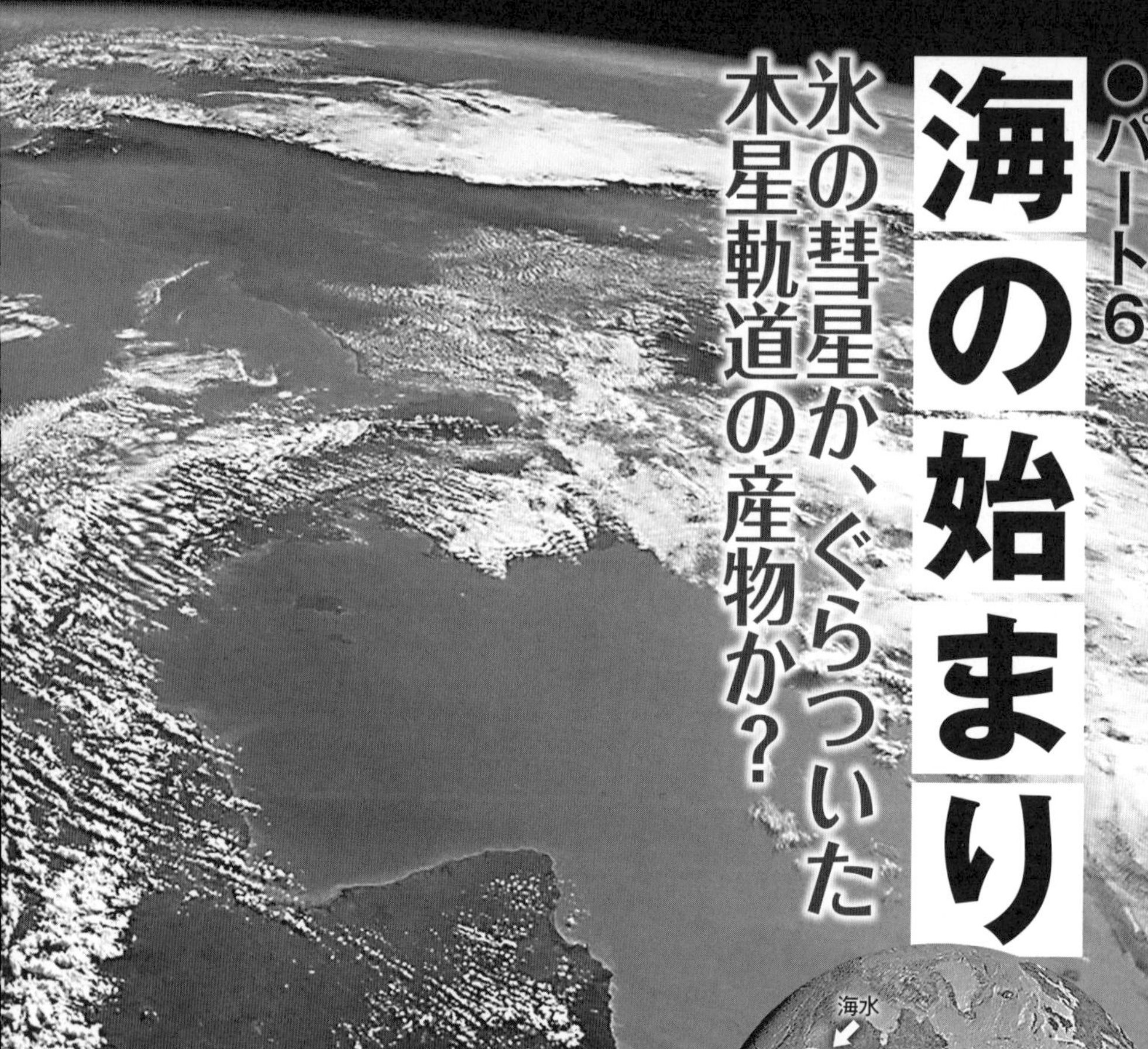

○パート6 海の始まり

氷の彗星か、ぐらついた木星軌道の産物か？

図6-1 ⬆この図は地球と地球上の水の体積を球体にして比較している（大きい水玉は海水、小さな水玉は淡水）。地球は“水の惑星”といわれるが、こうして見ると地球の体積のごく小さな部分でしかないことがわかる。
図／Jack Cook & Howard Perlman／Woods Hole Oceanographic Institution & USGS

地球は〝海の惑星〟

われわれはふだん、陸地の面積や地形に目がいきやすい。**日本の国土は37万平方km**で山がちだとか、中国の国土は日本の25倍だというふうに。人間が陸上で生きているからだ。

だが実際には、**地球表面の4分の3近い70％以上は海**である。これを見るかぎり地球は海の惑星、水の惑星であり、宇宙から見れば〝藍色のビー玉〟のごとくでもある。もっともそれは地球表面の話で、地球の深

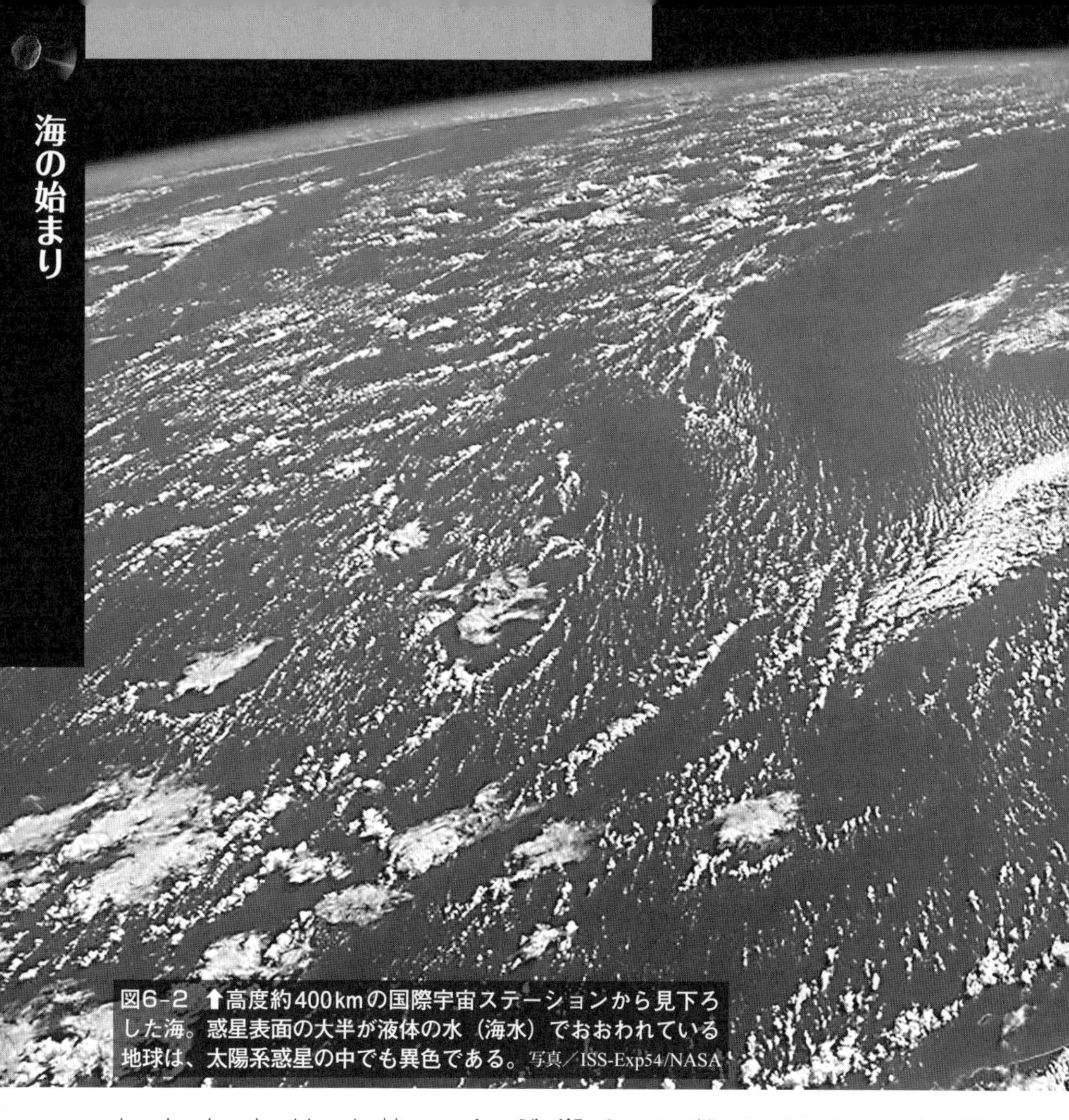
図6-2 ⬆高度約400kmの国際宇宙ステーションから見下ろした海。惑星表面の大半が液体の水（海水）でおおわれている地球は、太陽系惑星の中でも異色である。写真／ISS-Exp54/NASA

部にまで海が広がっているわけではない。

地球に存在する**水の量は13億3500万立方㎞**と計算されている。少しわかりやすく言うと、一辺が1100㎞（東京 - 北海道稚内の距離）の立方体の大きさに等しい。**そのほとんど（97％以上）は海水であり、残りの3％足らずは陸地の川や湖や地下水、北極や南極の海に浮かぶ氷、大気中の水蒸気や雲など、おもに淡水として存在する**（図6 - 1）。

ちなみにこうした地球の自然環境についてのデータはたいてい、アメリカ地質調査所（USGS）またはアメリカ海洋大気庁（NOAA）という2つの国立研究機関が公表したものだ。本稿で用いるデータもほとんど、これらの研究所が提供したものとずれていないかチェックしている。いずれもそれほどに信頼度が高い。

もしこの水が存在しなければ、地球の生物は虫1匹、草1本も生きることができない。そもそも地球上に生命が発生することもなく、ここに人間がいるはずもない。

表6-1 地球のおもな海　資料／アメリカ海洋大気庁（NOAA）

海洋名	面　積	水　量
太平洋	1億6176万平方km	6億6000万立方km
大西洋	8513万平方km	3億1041万立方km
インド洋	7056万平方km	2億6400万立方km
南大洋（南極海、南氷洋）	2196万平方km	7180万立方km
北極海	1555.8万平方km	1875万立方km
合計（その他含む）	3億6190万平方km	13億3500万立方km

だがここまで見てくると、すぐにある疑問が浮かぶ。それは、これほど莫大な量の水はいったいどこからやってきたのかである。

地球に落ちた無数の彗星が水源？

この疑問には、20世紀半ばから科学者たちがさまざまな推論（仮説）を試みてきた。もっともよく知られ、また素人受けしそうな答えは、地球の水は太古の地球に落下した**無数の彗星**――**チリまみれの氷のかたまりなので〝汚れた雪玉〟とか〝凍った泥玉〟と呼ばれる（図6-3）――がもたらした**というものだ。

だが読者が海岸に立って広大な海を眺めれば、水平線のはるかかなたまで広がる太平洋や大西洋の水が、彗星の衝突の結果だけとは想像しにくいに違いない。海洋が生まれるまでにいったいどれほどの大きさ、どれほどの数の彗星が衝突すればよいというのか？

これまでに世界の天文学者たちの観測によって発見された彗星は6400個ほど。これらの彗星はもともとは「**オールトの雲**」または「**カイパーベルト**」（**図6-5**）からやってきたもので、そこにはいまも1兆個以上の彗星のタマゴが存在すると見られている。大半は直径100m以下だが、なかには直径

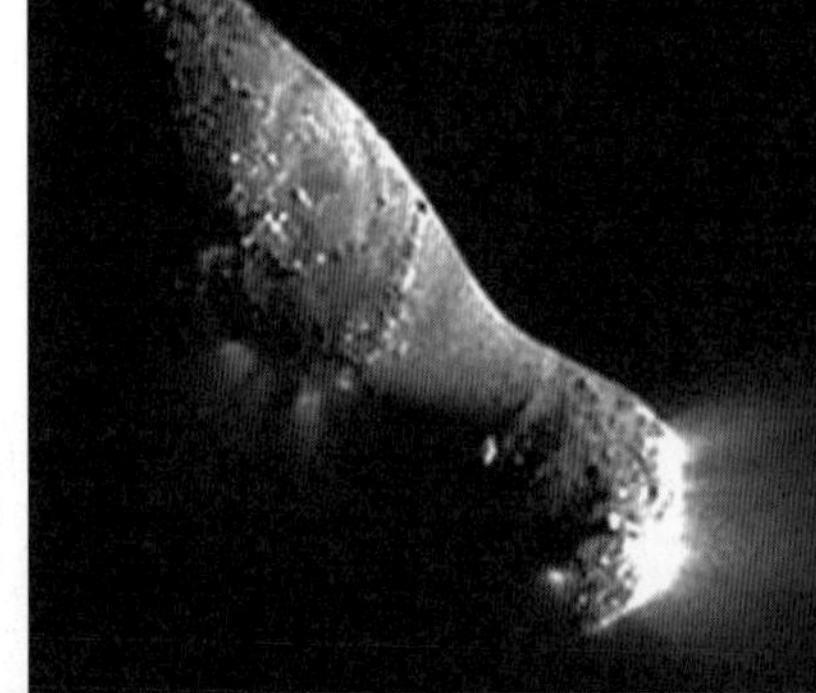

図6-3 ➡非常にめずらしい彗星の近接写真。この“汚れた雪玉”は2010年にNASAの観測衛星が接近遭遇して撮影したもの。直径1600mの核はおもに水で、メタノール、二酸化炭素なども含むと見られる。　写真／NASA／JPL-CalTech/UMD

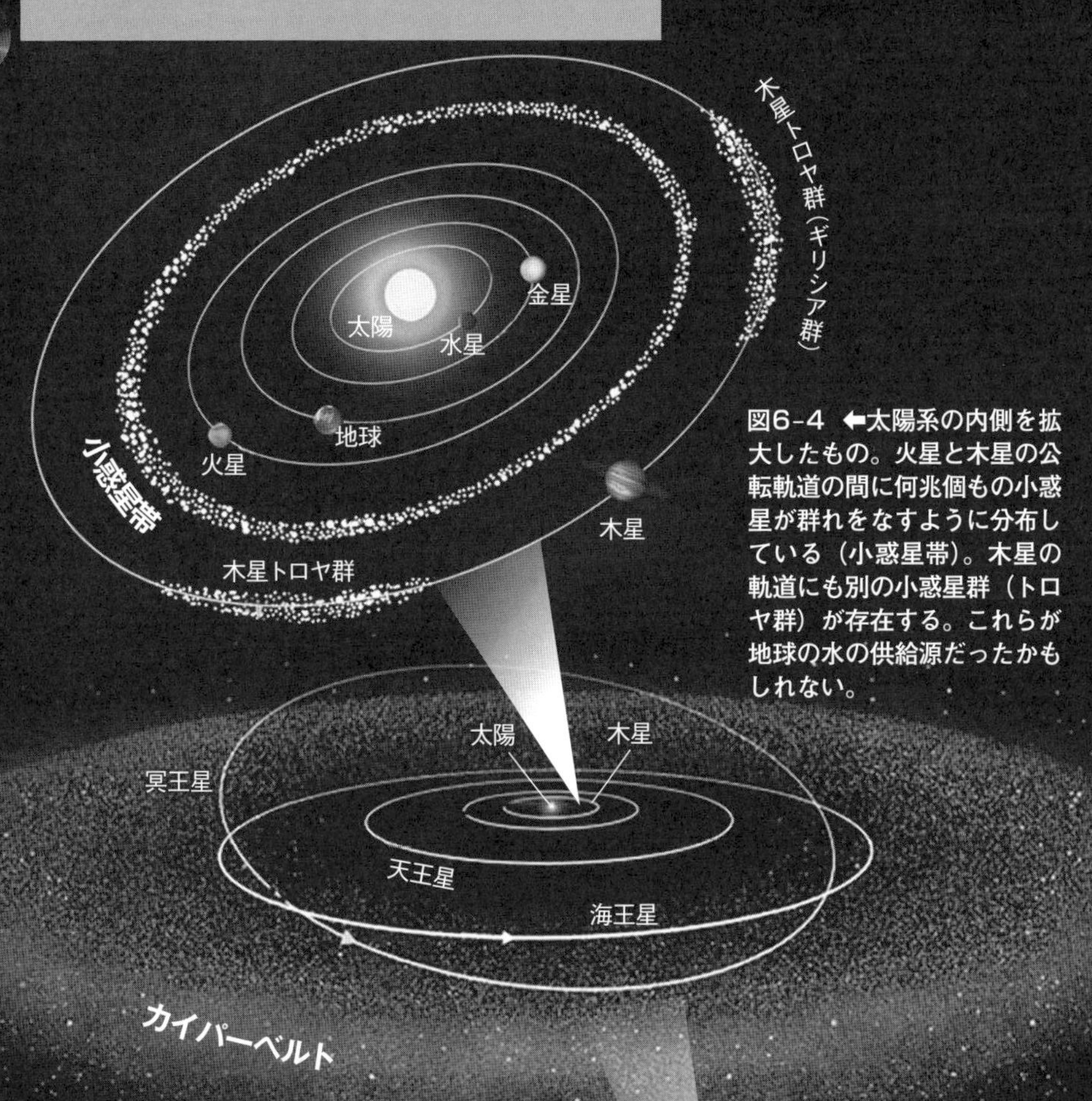

図6-4　⬅太陽系の内側を拡大したもの。火星と木星の公転軌道の間に何兆個もの小惑星が群れをなすように分布している（小惑星帯）。木星の軌道にも別の小惑星群（トロヤ群）が存在する。これらが地球の水の供給源だったかもしれない。

図6-5　⬆太陽系の外側を何兆個もの“彗星の卵”がベルト状にとり巻いて飛び続けている（＝カイパーベルト）。➡太陽系全体をさらに広範囲に無数の微小天体が雲となっておおっている（＝オールトの雲）。

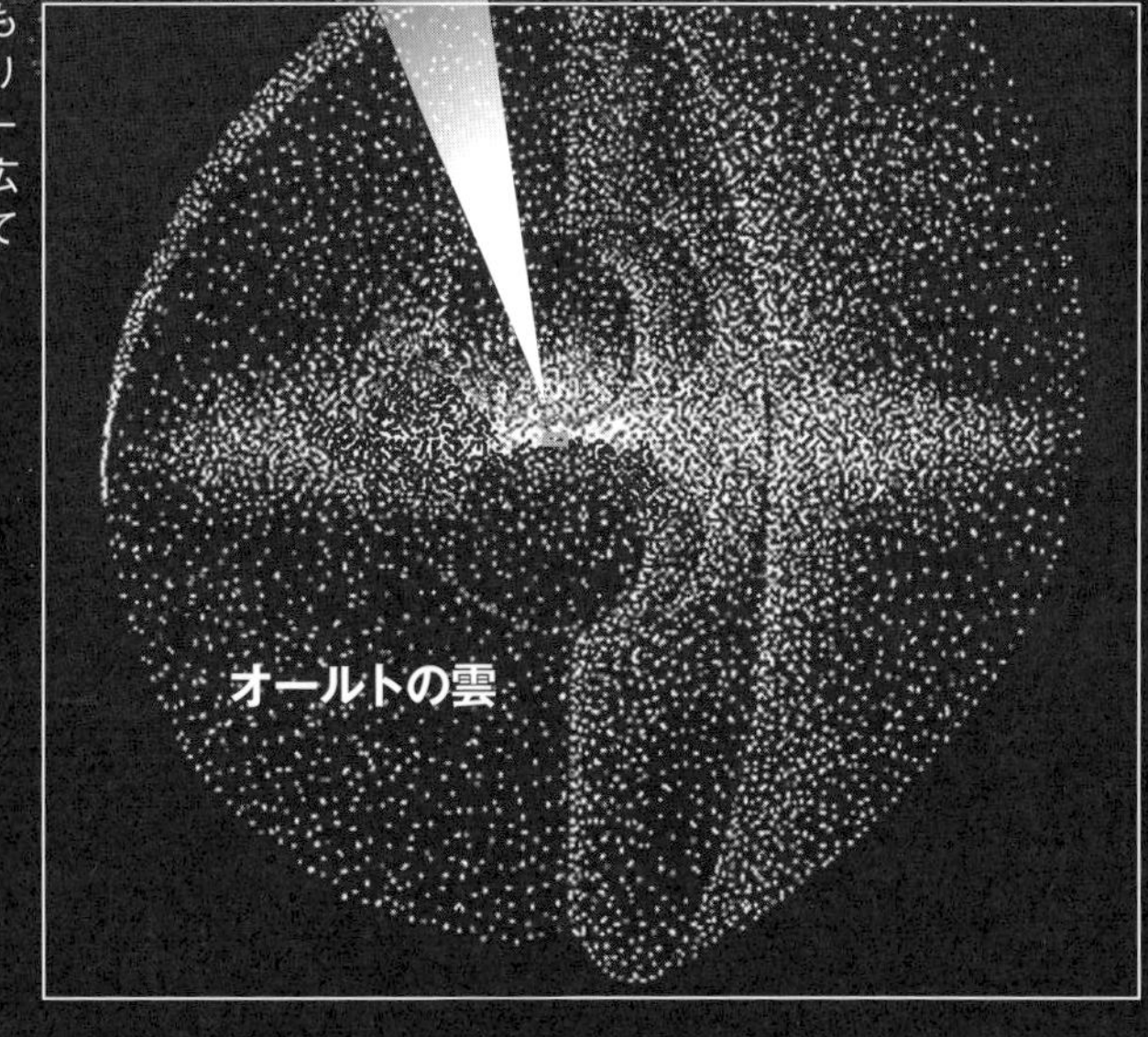

図（3点とも）／NASA

30kmもの巨大彗星もあるらしい。しかし平均的な大きさの彗星が何万個、何十万個と地球に落下しても、いまの地球の海をつくるにはとうてい足りそうもない。

そこで近年、こうした彗星起源説を否定する主張も出てきた。カリフォルニア大学の天文学者デヴィッド・ヒューイットらは、有名な4個の彗星――ハレー彗星、**ヒャクタケ彗星**（**図6-6上**）、ヘール・ボップ彗星、チュリュモフ・ゲラシメンコ彗星――の観測結果から、それらの同位体比（水素と重水素の比率。液体の起源を調べるときに用いる）を調べた。するとそれらの比率は海水の同位体比の2倍にも達することがわかった。**彗星の氷が海水とは異なる証拠だという**のだ。

だが海水の同位体比は太古からいまのようであったのではなく、地球をおおってから別の原因で低くなったという説もあり、その場合はいましがたの彗星起源説が生き延びることになる。

ちなみにヒャクタケ彗星は、1996年に日本のアマチュア天文家**百武裕司が天体用双眼鏡で発見した**もので、軌道が極端に細長く、次に地球近くにやってくるのは7万2000年後とされている。百武は発見の10年ほど後に死去している。

若い研究者に残されたテーマ

そもそも彗星が〝彗星の巣〟とされるオールトの雲やカイパーベルトから飛来したものかどうか定かではない。イタリアの惑星天文学者アレサンドロ・モルビデッリは、さきほどの同位体比をもとに、別の水供給源を指摘している。それは、いまの火星の軌道と木星の軌道の間に広がっている小惑星帯のうち、とくに外側軌道を公転する**大型小惑星**（**原始惑星**）である。これらの赤ん坊惑星は、水を大量に含む鉱物である**炭素質コンドライト**（**図6-6右**）でできている。モルビデッリは、それらが誕生まもない、または成長途上の地球に無数に落下し、かくも莫大な水をもたらしたという。

また別の新説では、月の岩石（1960年代の有人月探査計画アポロ15、16号でサンプルを採取）を近年になってくわしく調べたところ、その組成は、誕生時の地球に水がすでに存在したことを示唆したという。それも、同位体比がいまの地球の海水とほぼ一致するというのだ。**月と地球の水の起源はどちらも同じ**ということだ。

図6-6 ⬆地球から観測されたヒャクタケ彗星。彗星は、その軌道によっては何千〜何万年にいちどの間隔で地球周辺を通過する。写真／E. Kolmhofer, E. Raab ➡大きな小惑星はこの写真のような炭素質コンドライトでできており、太古の地球への水供給源だったかもしれない。写真／NWA869, E. Raab

こうした発見や研究は、地球の水の起源についての新説を生み出す。それは、巨大ガス惑星である木星が、かつてしばしばいまの木星の公転軌道より内側（太陽側）に入り込み、その重力が炭素質コンドライトを含む小惑星の軌道を乱した。その結果、これらの小惑星が軌道を外れて太陽側に入り込み、地球などの岩石惑星の原材料となり、かつ水を提供したというものだ。

どうやら、**地球の〝水（海）の始まり〟についての理論はいまだ定まっていないようである。**彗星起源説はまだ生きているし、他方、軌道をよろよろした巨大な木星がその重力で無数のコンドライト小惑星を投げ飛ばし、それが地球に岩石と水を供給したという新説もわれわれを魅了する。**〝海の始まり〟は、若い研究者が取り組むべきテーマ**としていまも目の前に残されている。

ともあれこうして生まれた原初の海に、何十億年にもわたって地球の火山活動から放出されたガスや水蒸気が溶け込み、また陸地を流れる川からは地殻の溶解物などが流れ込んで、海水を〝塩っ辛く味つけ〟してきたことだけはたしかだ。現在のわれわれの目の前に、そのような海が広がっているのだから。●

●パート7

生命の始まり

地球で生まれたか、宇宙から飛来したか？

生命は負のエントロピーを食べている

生命、と聞くとわれわれは単純に、動物や植物、それに自分をも含めた人間自身のことだと思いがちである。それで誤りではないが、これだけでは生命の定義にはならない。それ**地球上の生命がいつどのようにして生まれたかは、どんなにすぐれた科学者にもわかっていない**のだ。

この疑問に対しては、古代ギリシア以来じつに多様な回答が試みられてきた。だがどれも結論にたどりついてはいない。ここでは、そうした古い記憶や、全能の神が一夜にして創造したという類の神話は脇におき、現代科学の見方に焦点を当ててみる。それだけでも非常に複雑でやや頼りないのではあるが。

20世紀に入ってからも生命の定義は容易ではなかった。さまざまな分野の科学者に聞けばさまざまな答えが返ってきた。**量子論のパイオニア、エルヴィン・シュレーディンガーの定義**はこうだ――「**生命は負のエントロピーを食べて自分の内部に秩序を生み出す存在である**」★1――素人にはむかない説明である。ここで言うエントロピーとは、不可逆的に進む〝複雑さ〟や〝乱雑さ〟の度合いのことだ。この宇宙は全体としてはたえず乱雑さを増しているが、その中で生命だけは逆の方向、すなわち負のエントロピー（＝

図7-1 ⬆ふつうの生物が生きられない過酷な環境にも適応できる古細菌。最初の地球生命はこのような単細胞生物だった可能性が高い。

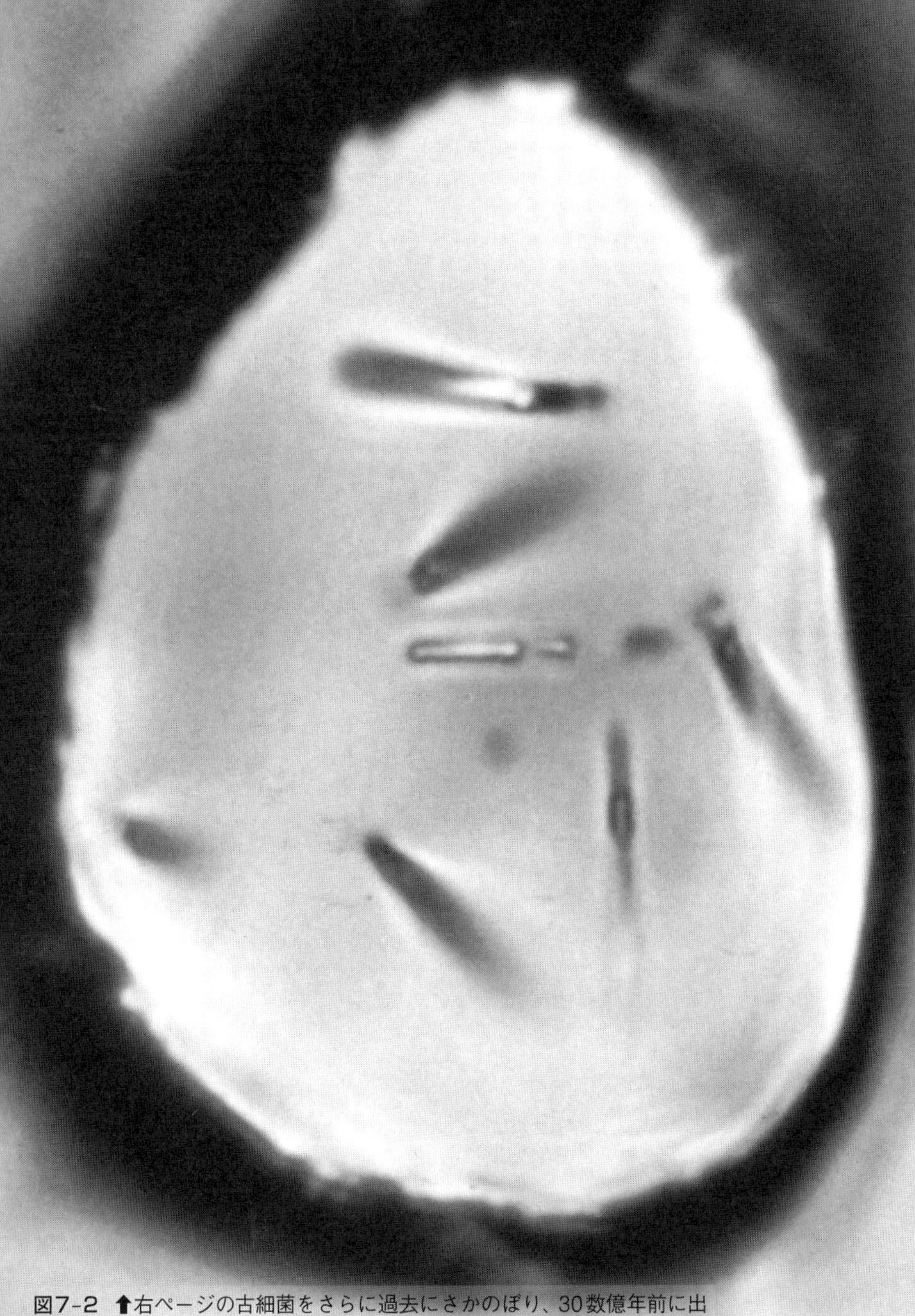

図7-2 ⬆右ページの古細菌をさらに過去にさかのぼり、30数億年前に出現したと見られる原始生命体。グリーンランドの堆積岩の中から見つかった（顕微鏡写真）。写真／Scripps Institution of Oceanography／矢沢サイエンスオフィス

秩序）を生み出す存在だというのである。

彼らの定義の中には一見ふまじめなものもある。たとえば「生命とは非生命（物質）ではないもの」とか「踏みつけると死んでしまうもの」などというものだ。まあ、答えに窮したのであろう。

しかしこの問いへの大方の見方は、「**生命とは自己複製する存在**」、または「**生命は代謝する（エネルギーを取り入れて不要なものを吐き出す）存在**」に代表される。ここで言う自己複製とは、自分で自分のコピーをつくる、つまり親が子をつくるという意味である。

地球起源説

生命を生み出した原始地球の環境は？

ところで、最初の生命が宇宙ではなく（大昔の）地球で生まれたとしたら、まずその頃の地球がどんな状態であったかを明らかにしなくてはならない。現在のような地球環境を前提としたのでは、まったく別の生命誕生理論を考えるはめになるからである。

46億年ほど前に生まれた直後の地球（パート5・図5-5参照）**の環境は、現在とはまったく異なっていた**。つまり最初の生命はわれわれの知らない原始地球の環境で生まれ、その後の地球の〝大変動〟を生き延び、現在のような環境に適応して生きてきたことになる。

20世紀初頭、イギリスの遺伝学者**J・B・S・ホルデーン**とロシアの**アレクサンドル・オパーリン**（**図7-3**）は、原始地球の大気はアンモニアやメタン、二酸化炭素、水素、水などの分子でできていたと考えた。これらはみないまの地球生物の体をつくる分子の材料となる。ちなみにホルデーンは、いまでは誰もが知る「クローン」（パート13参照）の造語者でもある。

大気中のこれらの分子は、宇宙放射線や落雷、火山活動などの外的エネルギーにさらされて相互

★1 エントロピー
一般にはさまざまな物事の〝乱雑さの度合い〟の意味で用いられる。熱は熱いものから冷たいものへと流れ、その逆は起こらない、つまり不可逆だとする「熱力学第2法則」から、分子の乱雑さが増していく性質。宇宙のエントロピーはたえず増大に向かっているとされている。

図7-3 ⬅**原始地球の浅海で生命が発生したと主張したイギリスのJ・B・S・ホルデーン**（右）とロシアのアレクサンドル・オパーリン。

図7-4 ユーリー＝ミラーの実験

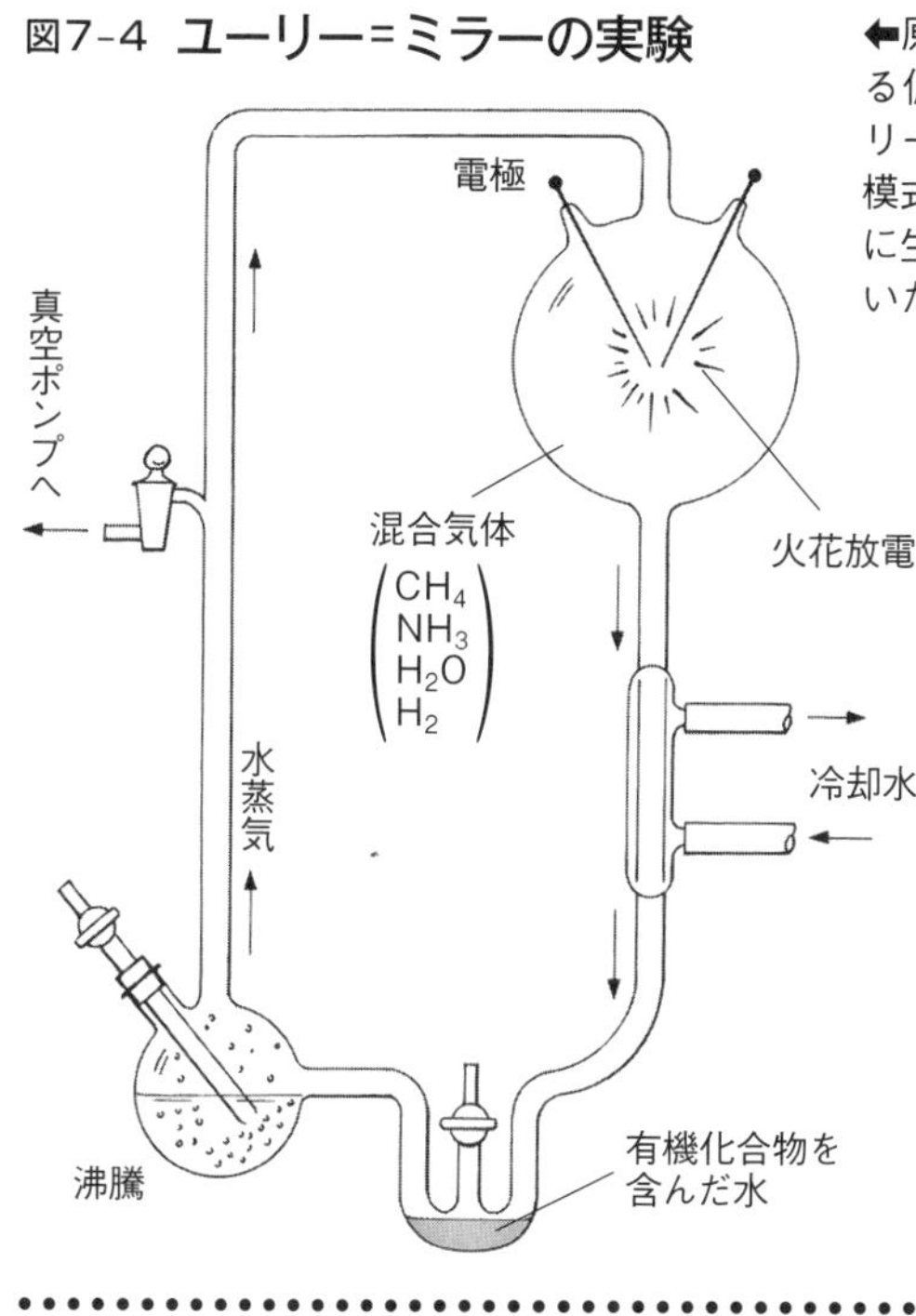

⬅原始地球の大気中で生命が発生したとする仮説を実証するため、ハロルド・ユーリーとスタンリー・ミラーが行った実験の模式図。１週間後、右上のフラスコの内面に生物体の原材料となる有機物が付着していた。　作図／矢沢サイエンスオフィス

に反応し、より複雑な分子を生み出した。**これらの有機分子は原始の海に大量に溶け込み、海はうすいスープ状になった。**浅い内海で太陽光に熱せられた海水が蒸発するとスープは濃縮された。そしてこの原始スープがかき混ぜられ、互いに化学反応を起こすうちに、ついに**古細菌**（58、59ページ**図7-1、2**）の**ような単純な生物が誕生**したというのだ。

　1952年、この2人の大科学者による**「原始スープ説」が実験に供された。**カリフォルニア大学のハロルド・ユーリーと彼の学生スタンリー・ミラーが、原始地球の大気を模した気体をフラスコにつめて放電したのだ。自然界の稲妻の代用である（**ユーリー＝ミラーの実験。図7-4**）。実験を1週間続けると、フラスコの内壁に茶色の有機物が付着した。それらは、いまの**生物の体が利用している20種類のアミノ酸のうちの11種類を含んでいた**——この実験の説明は理科の教科書に載っている。

　このとき彼らが想定した原始地球の大気は、いまの大気（窒素78%、酸素21%、微量のアルゴンと二酸化炭素）とはまったく違い、メタンとアンモニアと水素、それに水蒸気からなっていた。

　以来この実験結果は多くの科学者によって再現が試みられ、原始地球の大気も修正されて、二酸化炭素と窒素、それに水蒸気からなっていたと考えられるようになった（それでも現在の大気とは大きく異なるが、これは生命が誕生した後に酸素をつくり出すようになった結果である）。この原始大気が生み出した分子は地上や海中でより複雑な有

図7-5 粘土説

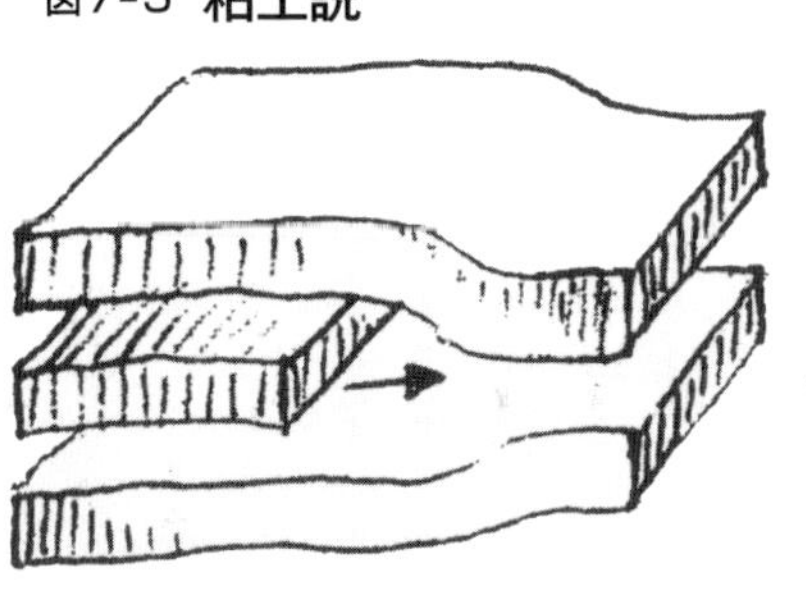

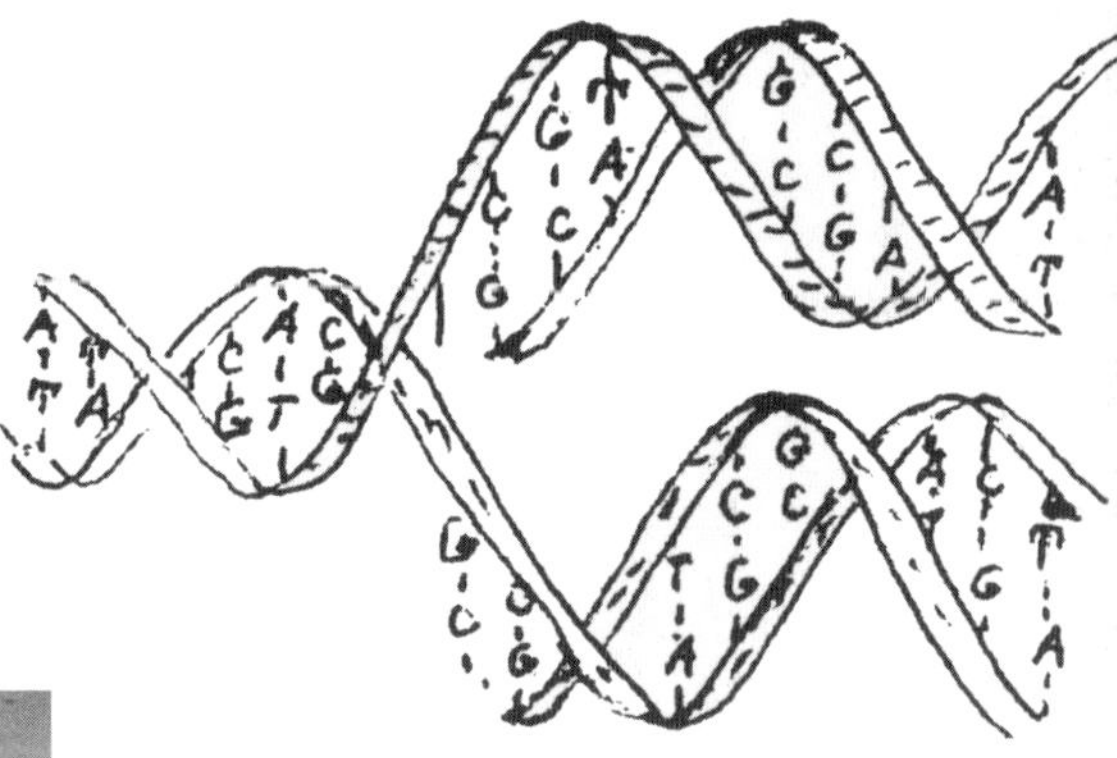

⬆左／粘土鉱物が内部に新しい層をつくり出す様子。右／細胞中のDNAの複製のしくみ。両者には類似性が認められる。
資料／M.D. Nussinov et al.

図7-6 ⬅粘土と同様、黄鉄鉱の表面も化学反応が起こりやすく、生命物質の誕生の場となり得る。
写真／Arpingstone

機分子を生み出すようになった。有機分子とは炭素を含む化合物のことで、地球生物（炭素系生物）の体をつくる素材である。**同じ物質は宇宙いたるところに液体や固体として存在する。**

では、この反応が進行すればより複雑な有機物質が生まれ、ついには〝**生命の萌芽**〟が生じるのか？　生命と呼ぶからには、第1にその有機体は自らをコピーして1つが2つへ、2つが4つへと増殖する性質をそなえなくてはならない。増殖せずには子孫を残せない。

第2に、そのような性質をもつ有機体ないし原始生命は、冒頭で見たような「代謝（新陳代謝）」の能力をそなえていなくてはならない。だが、科学者がいくら実験を続けても何も発見できなかった。

●粘土説

粘土の表面で生命が生まれた？

ところで、いま見た仮説は、分子どうしが化学反応を起こして新しい物質を生み出し、その結果として生命が生まれたと考えるところから、後に「**化学進化説**」と総称されるようになった。総称というのは、その中にもいろいろな説が含まれるからだ。

いろいろな説の代表が「**粘土説**」である（**図7-5**）。別名「表面代謝説」ともいう。これは文字通り「**地球生命は粘土の表面で起こる代謝作用から生まれた**」と主張する。

粘土説はイギリスの**ジョン・バナール**が1959年に提唱した。粘土の表面では有機物のアミノ酸どうしが結合（重合）しやすく、この反応がくり返された結果、ついに原始生命が出現したというものだ。

粘土にせよ黄鉄鉱のような鉱物（**図7-6**）にせよ、その表面で化学反応が起こりやすいことはよく知られている。つまりこれは**粘土や黄鉄鉱の表面で代謝が起こる**ことに注目した説である。

粘土説にはたしかに説得力がある。自然界にはこれと同様の事例が他にも存在するからだ。たとえば原子や分子が規則正しく並んだ固体である「結晶」は、自分自身を変化させながら成長することが実験で観察されている。無機物の結晶が生命を思わせる自己複製を行うのだ。

そこでいま各国の研究者たちは、研究室で粘土を前に、そこからRNAが姿を現さないものかとにらめっこしている。

ちなみにバーナルは、宇宙空間で人間が恒久的に生活できる巨大な施設「スペースコロニー（バナール球）」の最初の提案者でもある。

●RNAワールド説
はじめに遺伝子ありき？

化学進化説の2番目は「**はじめに遺伝子**

図7-7 DNAとRNA

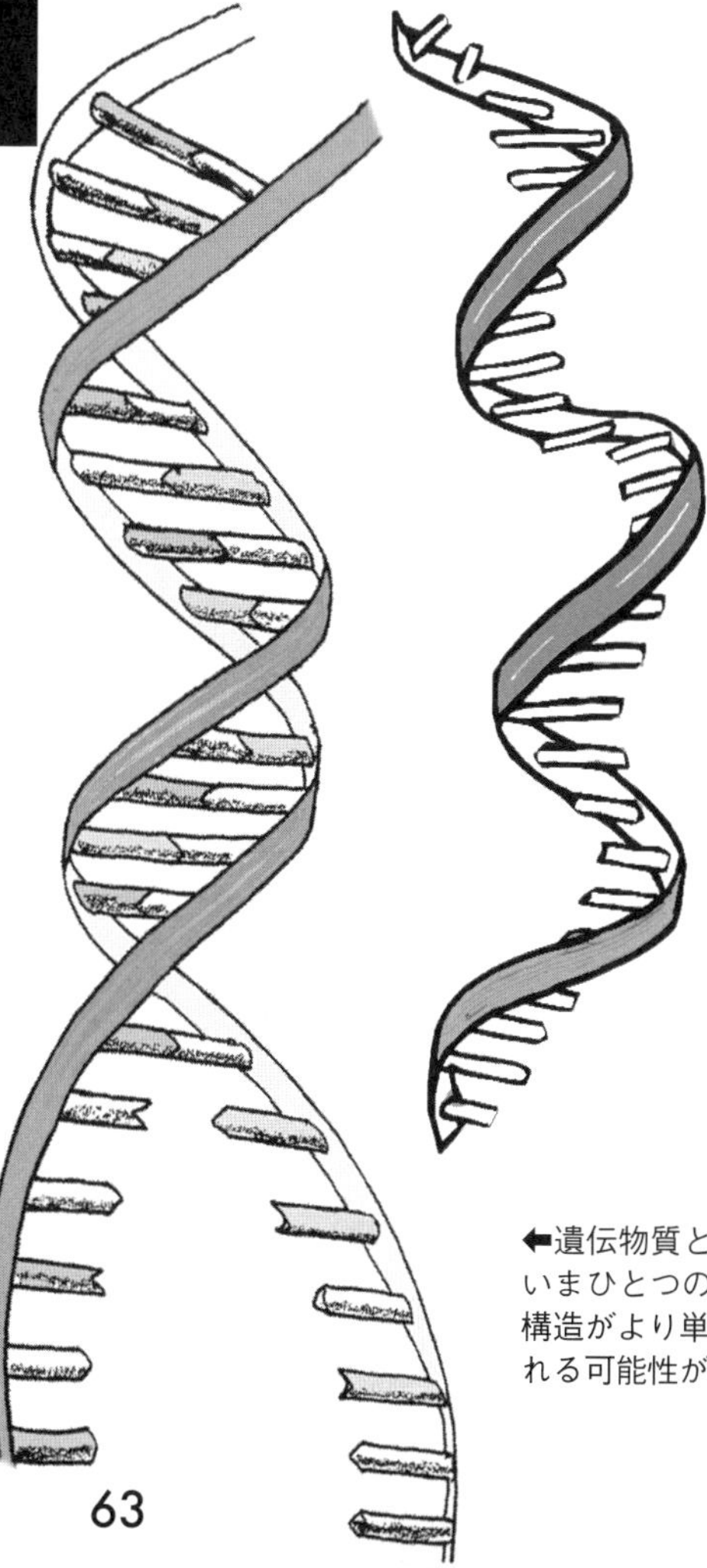

⬅遺伝物質といえばDNA（左）だが、いまひとつの遺伝物質RNA（右）は構造がより単純なため偶然生み出される可能性が小さくない。

図／十里木トラリ

が生まれた」とするものだ。遺伝子といえばDNAがよく知られているが、ここではDNAよりも単純で不安定な1本鎖の「**RNA**」（63ページ**図7-7**）が注目される。

この分子の役割は〝遺伝子〟の入れ物としてだけではない。**RNAは分子を運んだり分子どうしをつなぎ合わせたりもする**。とすれば、RNAという分子はそれだけで小さな生命体と見ることもできる。つまり「**RNAワールド**」が最初の生命だというのである。

RNAワールドをさきほどの粘土説の延長上で考える研究者もいる。粘土の表面をつくる分子は規則的に並んでいる。そこに糖やリン酸、核酸塩基などのRNAの材料がとらえられるとこれらの分子も規則的に並べられることになり、**原始的なRNAが生まれる可能性**がある。これをくり返しているうちにRNAからより複雑なDNAがつくられ、それが自らをコピーする遺伝能力となって原始生命を生み出すかもしれない。

他方、ドイツのノーベル賞学者**マンフレート・アイゲン**（筆者らはかつて現地で彼にインタビューし、翻訳して公表した）は、RNAの短い鎖が複雑な情報をもつ長い鎖へと進化するプロセスを考え出した。そこではRNA分子は、おのれを複製するのではなく他のRNA分子の複製を助けて、その両方が数を増やせるようにしている。その際ときどき「突然変異」が起こり、そのつどRNA分子のもつ情報量が増えていくというのだ。

宇宙起源説（生命宇宙飛来説）

ホーキングも支持したパンスペルミア

これらとはまったく別の説もある。それは、超大物科学者の得意技の「**生命は宇宙から飛来した**」とするものだ。この見方は世界的に「**パンスペルミア**」で通じる。パン（＝汎）はギリシア語でいたるところ、スペルミアはタネを撒くの意なので、一言で言えば、**宇宙に遍満する生命のタネ**ということになる。このタネ、つまり生命の根源物質であるアミノ酸などの有機物が宇宙を飛び交い、偶然たどり着いた天体——地球もそのひとつ——で新たな生命を芽吹かせるとするのがこの説である（日本語では胚種広布説）。

そのタネは広大無辺の宇宙空間をどうやって移動するのか？　答えは、星々が発する光の放射圧にはね飛ばされたチリに乗って、また星の近くでは小惑星や隕石や彗星に含まれる「**極限環境微生物**」となって旅をした（**図7-8**）。

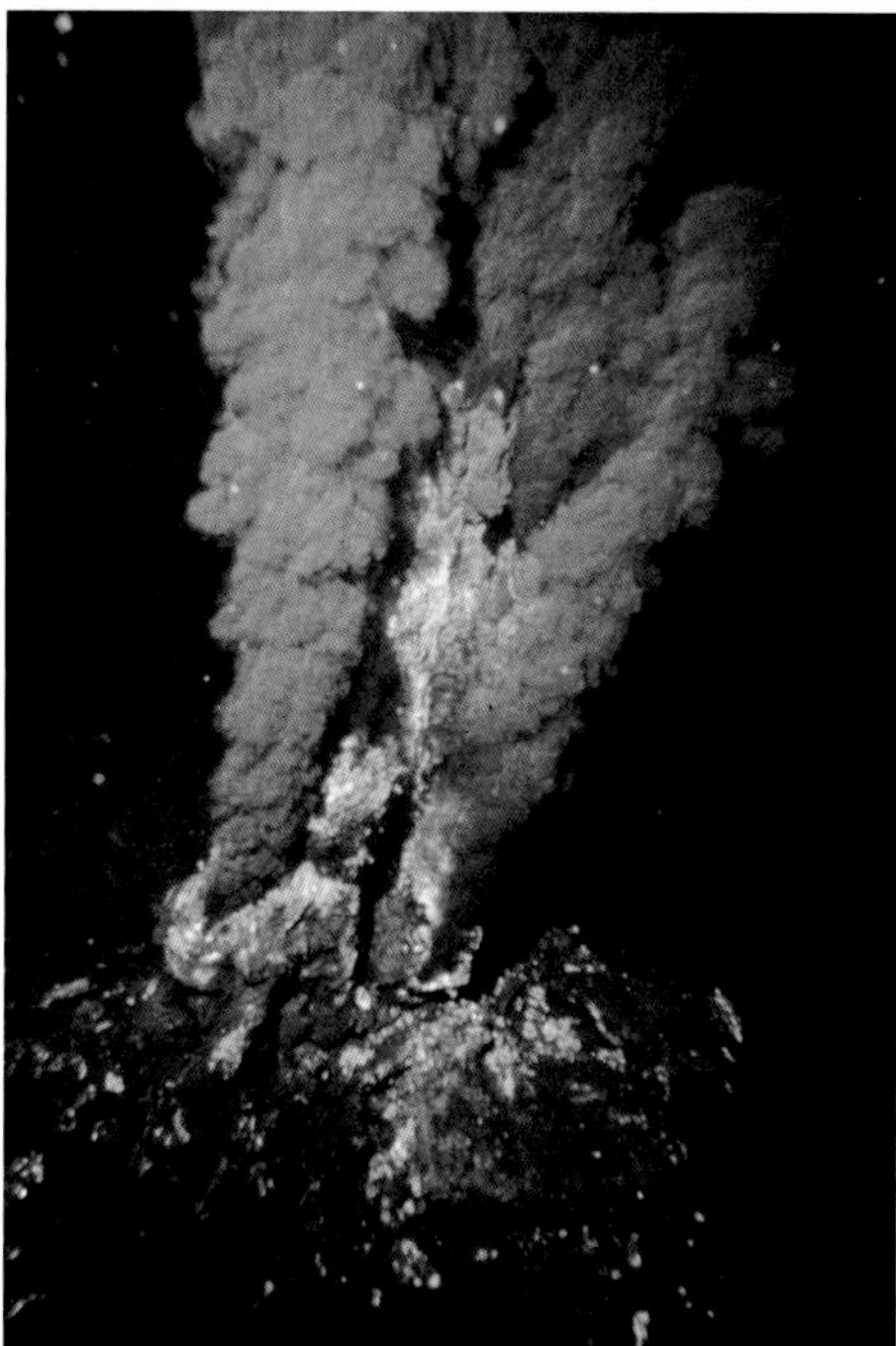

図7-8 ⬆誕生からまもない地球の表面は過酷な環境にあり、さまざまな化学反応が起こっていた。そこに宇宙から“生命のタネ”が降り注ぎ、原初の地球生命を生み出した――パンスペルミア説はそう主張する。

想像図／Silicon Worlds／ESA

図7-9 ⬅深海底の熱水噴出孔から立ちのぼる“ブラックスモーカー”。このような環境が生命の“ゆりかご”になった可能性もある。⬇ガラパゴス諸島近くの海底に生息するチューブワーム。深海底の高濃度の硫化水素の中で生きている。

写真（2点とも）／NOAA

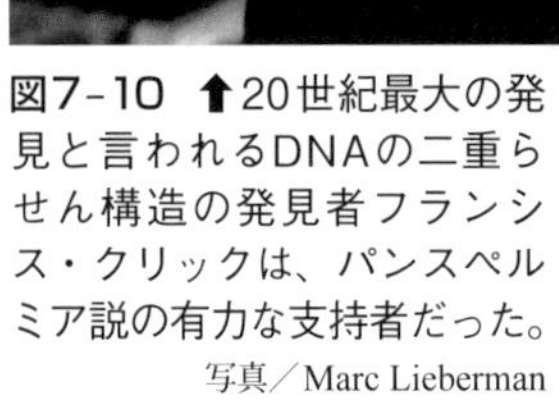

図7-10 ⬆20世紀最大の発見と言われるDNAの二重らせん構造の発見者フランシス・クリックは、パンスペルミア説の有力な支持者だった。

写真／Marc Lieberman

図7-11 ➡早くも20世紀はじめに生命の宇宙起源説を主張したスヴァンテ・アレニウス。

極限環境微生物（**図7-9**）とはふつうの生物がとうてい生きられない過酷な環境で生きる生物のことで、たとえば古細菌、高熱菌、好アルカリ菌、好酸菌、放射性耐性菌などである。

ただしこの仮説は生命の起源を語ってはいない。地球生命は〝地球上での進化〟によって生まれたとする前述の仮説と異なり、この説は原初の生命（生命物質）は宇宙で生まれ、それが地球にも降ってきたとしている。

現代的なパンスペルミア説は早くも19世紀後半の科学者たちによって支持されている。絶対温度（ケルビン）の単位で知られるイギリスのケルビン卿（ウィリアム・トムソン）、熱力学の第1法則（エネルギー保存則）の生みの親ドイツのヘルムホルツなどだ。

20世紀に入ってすぐにこの説を支持したのは、物理化学の創始者とされるスウェーデンの**スヴァンテ・アレニウス**。（**図7-11**）彼は1905年、前記のような生命物質は星々からの光圧や放射圧によって宇宙空間を移動できると主張した。アレニウスは、これらの生命物質が超低温の宇宙空間でも生き延びることを実験で証明してみせた。

20世紀後半、この説の支持者には現代人が知っている〝現代科学の大物〟が並ぶようになった。1970年代、DNAの二重らせん構造の発見でノーベル賞を受賞したイギリスの**フランシス・クリック**（**図7-10**）がパンスペルミア説に関心と支持を表明した（筆者らは生前のクリックにもサンディエゴのソーク研究所でインタビューし日本語で出版した）。彼はこのテーマについて1冊の本（邦訳『生命―この宇宙なるもの』）も著している。

その後の顔ぶれには、インドの世界的天文学者**チャンド**

ラ・ウィクラマシンゲ、ビッグバン理論を否定して「定常宇宙論」を主張し、星の核合成理論を提出したイギリスの**フレッド・ホイル卿**、先年死去した車椅子の物理学者**スティーヴン・ホーキング**などが並ぶ。

宇宙からやってきた生命物質の証拠らしきものは、まず1984年に報告された。アメリカの研究チームが南極でみつけた火星由来の隕石の破片（アランヒルズ84001）から、生命体の化石らしきものが見つかったのだ。当時これは世界的ニュースとなったが、いまに至るも宇宙起源の生命物質の痕跡か、または南極で地球の生命物質に汚染された結果か、結論は出ていない。

2001年にはサンディエゴで開かれた国際光工学会の年次総会で、イギリスとインドのチームを率いた前記のウィクラマシンゲが、地球成層圏で採取した**大気サンプルから存在するはずのない細胞の塊をみつけたと発表**、これは疑いようのない地球外起源の生命物質の証拠だと述べた。これについてはいまもNASAが解析を続けている。同じ年にはイタリア、ナポリ大学のブルーノ・ダルゲニオらが「**45億年前の隕石からバクテリアを抽出した**」とも発表している。

2008年には前記スティーヴン・ホーキングがジョージ・ワシントン大学でのNASA主催の講演会で、「なぜ人類は宇宙に行かねばならないのか」と題してパンスペルミア説の重要さを説いている。

奇妙にも、日本の科学者にはパンスペルミア説の支持者をめったに見かけない。そのため一般読者もこの説を知る機会がほとんどない。筆者の知るかぎり、日本でこの説に注目している著名学者は**松井孝典**東京大学名誉教授（惑星物理学者）である。彼はその著書『スリランカの赤い雨――生命は宇宙から飛来するか』でパンスペルミア説を説明している。

パンスペルミア説を支持する科学者の多くはすでに功成り名遂げた大物学者ばかり。彼らは研究者の間で主流から外れた見方を論じても、自身の名声や研究生活に何の支障もきたさないだけの実績をもっている。しかし一般の科学者・研究者にとっては、研究予算がつきにくいパンスペルミア説のようなテーマに取り組むことはリスクが高い。

だが読者の多くはこうした科学界の現実とは無縁であろうから、生命がどのようにして始まったかについて、いまからでも自由に考察できるはずである。●

●パート8 種の始まり

生物は自然選択では進化しない？

がんも「自然選択」の産物

がん細胞はとめどなく増えていき、ときに〝**進化**〟することもある。

人間の体内に現れるがん細胞は、もともと本人の正常な細胞が変化したものだ。はじめそれは単に、まわりの細胞組織を無視して増えていくだけである。するとたいてい、そのがん細胞がそれほど増えないうちに体の防御システム（免疫）ががん細胞を異常ないし異物と認識し、それを殺すようにはたらく。

だがときには、免疫をすり抜ける能力をもつがん細胞が現れる。するとそれは、もはや免疫のはたらきを無視して増殖する。やがてがんは大きくなり、宿主（患者）の体が変調を来たすようになる。もしこの段階でがんが医師によって発見され、手術や抗がん剤治療、放射線治療などによってほぼすべてのがん細胞を殺すことができれば、宿主の命は助かる。

だが増殖能力の強いがん細胞を全滅させることは容易ではない。放射線や抗がん剤で攻撃してもそれらをかいくぐって生き残るがん細胞が存在するからだ。こうしたがん細胞はさらに増えると同時に〝悪性化〟、つまり**より強い生命力や増殖力をもつがん細胞へと変わっていく**。まわりの細胞組織のたんぱく質の壁を溶かし、がん自身に栄養を運び込む新たな血管をつくり出し、さらに自分で患者の体内

図8-1 ➡鳥たちは自分の食性に合わせ、さまざまな形態のくちばしを進化させた。

図／Pierre Barrère

図8-2 **種の系統樹（ヘッケルによる原題：人間の血統）**

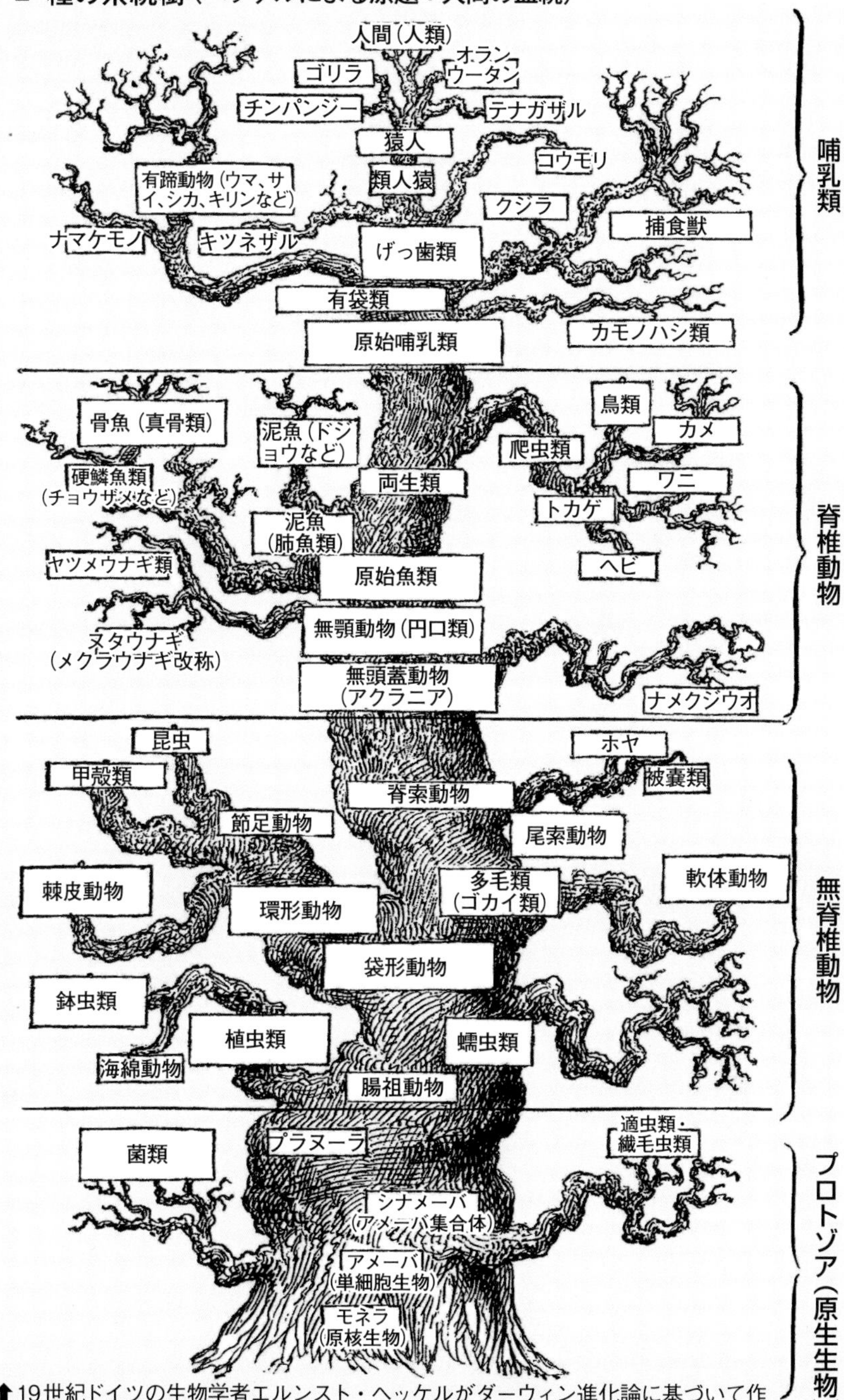

⬆19世紀ドイツの生物学者エルンスト・ヘッケルがダーウィン進化論に基づいて作成した有名な進化系統樹。現在のものとはかなり異なるが、生物進化の見方の変遷を把握する上できわめて興味深い。　原資料／Ernst Haeckel（訳/矢沢サイエンスオフィス）

を移動する能力を身につけたりする。こうして最終的に姿を現すのは、初期のがん細胞とは似ても似つかないばけもの的な細胞である。

がん細胞の悪性化はまさに、生物進化理論（後述）で用いられる「**自然選択**」の過程といえる。抗がん剤や放射線照射、免疫細胞というおのれの生存を困難にする環境条件（**選択圧**）をくぐり抜けたもののみがより多くの子孫を残す。これは生物が本質的にそなえる「**適者生存**」のしくみでもある。

だがこうして短期間に進化しても、がん細胞にとってよい最終結果は得られない。というのも、がん細胞がやりすぎるとその宿主の人間が死んでしまい、ついで自分自身も死ぬことになるからだ。

いまみたような自己矛盾と歴史的に向き合ってきた生物は、自然選択によって新たな環境適応力をもつように進化した。進化によって生まれた集団は、それまでの仲間とはいくらか異なる性質をもつ新しい集団、すなわち新しい「**種**」[★1]である——生物のこうした性質をはじめて論じたのは、後にあまりにも高名となる19世紀イギリスの**チャールズ・ダーウィン**が著した『**種の起源**』であった。[★2]

生物は「生存競争」で進化する

『種の起源』はこう述べる。

——あまりにも**多くの個体が生まれ、それに比して食物は少ない。その結果、個体どうしが資源（食物）を奪い合う「生存競争」が生じる**——そしてダーウィンは、この生存競争こそが進化を引き起こす原動力だと主張したのである。

身のまわりの植物や動物をよく観察すると、どれもが少しずつ違っている。育種家や繁殖家はそれらのうち、とりわけ甘い果実をつける果樹や長い距離をバテずに走るウマなど、すぐれた資質をもつ個体だけを選んで育てる。これは人間の人為的な選択であり、人工的な進化である。

これに対して自然界には生存競争がある。そこでは**環境により適応した者が競争に勝ち抜いて子孫を残す**。その結

★1 種
生物学的に同じ特徴をもつ個体の集合。同じ種の個体は交配によって生殖能力をもつ子孫を残す。ロバとウマの子ラバや、ヒョウとライオンの子レオポンは異種交配によってできた個体であり、生殖能力をもたない。

★2 自然選択と同様の見方を最初に提出したのはおそらく9世紀のアラビアの学者アル・ジャーヒズ。ただし自然界ではなく、神が選択すると見ていた。

★3 ニッチ
一般には適所やふさわしい場所、すきまを意味する言葉で、生物学では生態的な地位を示す。ここでは他の生物が利用しない食料や生活場所などの生態系の〝すきま〟のこと。

果、まわりの植生や気候などにより適応した個体が増えていく。もし競争相手の少ない生き方（ニッチ）★3があれば、生物はその方向に進化する。こうして生物は、性質の少しずつ異なるものへといくつにも枝分かれし、生き残ったものが新たな種となる。

人間もまた生物集団なので、進化の枝のひとつから種へと進化したはずである。このように生存競争によって特定の自然環境により適応した個体が多くの子孫を残すという見方が、自然選択の意味である。

だがダーウィンには、解決できない問題がひとつあった。それは、何が生物の多様性、つまりありとあらゆる変化を生み出すかであった。ダーウィンの時代に

図8-3 ⬅周囲に違和感なくとけ込むように進化した擬態生物たち。上はタツノオトシゴの仲間リーフィーシードラゴン、下はエダハヘラオヤモリ。写真／上・Wendy Rathey、下・Alextelford

図8-4 カエルに変態しかけたオタマジャクシ。カエルになると呼吸法も変化する。
写真／Viridiflavus

は遺伝子は発見されていなかったので、答えが見つからないのも当然である。

現代に生きる読者はダーウィンが思い悩んだ疑問にどう答えるだろうか？ 多くの人が、その答えは**「遺伝子の突然変異」**にあると考えるのではなかろうか？ つまり放射線や紫外線、食物の中の化学物質などが遺伝子の変異をうながしたり、あるいは細胞が分裂するときに遺伝子のコピーミスが生じ、それらが生物の多様性のもととなっているというものだ。

しかしながら、地球上に誕生してから46億年の生命史の中でたびたび起こった**〝生命進化の大事件〟**は、**〝小さな突然変異の積み重ね〟の産物とはとうてい思われない**。原始的な単細胞生物からいったいどうやって多細胞生物が生まれたのか？ もともと脊椎をもたなかった生物（無脊椎動物）がどのようにして背骨を手に入れ、脊椎動物となったのか？ トンボのような昆虫が羽をもつ前にどんな途中段階があったのか？

こうした跳躍的、革命的とも言える大変化や大進化が、日々の小さな出来事の積み重ねだけでどうすれば生じるというのか？

種の始まりに遺伝子の変化は不要？

生物のこうした大進化を解き明かすヒントは、20世紀に始まった生物の遺伝情報を担う分子DNAの解読（ゲノム[★4]解読[★5]）によってもたらされた。そのひとつは**〝遺伝子の使いまわし〟**である。

いろいろな生物を観察すると、だれでもさまざまな疑問に出合う。オタマジャクシとカエルは成長段階が違う同じ生物だが、姿形はまるで違う（**図8-4**）。体内のしくみもまったく異なる。オタマジャクシは水中でえら呼吸だが、カエルは空気中で肺呼吸する。餌もオタマジャクシは藻類

★4 ゲノム
生物の遺伝情報1セット。人間では22本の常染色体、および2本の性染色体に含まれるDNA全体をいう。この分子は4種類の塩基（A、G、C、T）の並び方によりたんぱく質の種類を決定している。

★5 ゲノム解読
生物のゲノムについて、DNAの塩基配列を読み取る研究。1990年代から本格的に始まり、多くの生物のゲノムが解読された。ヒトのゲノムは2003年に解読されたが、遺伝子数については議論が多く、2万～2万9000個と幅が大きい。

やプランクトンで、カエルはおもに昆虫だ。カエルを知らない人なら、オタマジャクシはカエルとはまったく別の生き物と考えるだろう。トンボやチョウ、カブトムシなどの昆虫には、成長の途中でこのように「変態」するものがたくさんいる。これは〝遺伝子の使い方〟が、幼体と成体で異なっているためである。

ヒトとチンパンジーも同様だ。これら**2つの霊長類動物のゲノムは98%以上が一致している**。だがそれは**見かけ上の一致**である。とくに脳を比べると、**遺伝子が同じでもそれを使う回数やタイミング、使用する遺伝子の組み合わせが大きく異なる**という。爬虫類から鳥類が進化して枝分かれした過程でも、遺伝子そのものはさして変化しなかった。

表8-1 生物の遺伝子の数

生　物	遺伝子の数	ゲノムの大きさ（塩基数）
大腸菌	4400	460万
酵母	6000	1400万
ミジンコ	3万	2億
ショウジョウバエ	1万4000	1億2000万
C.エレガンス（線虫）	2万	1億
アホロートル（ウーパールーパー）	2万3000	320億
ニワトリ	1万9000	11億
マウス	2万2000	27億
チンパンジー	2万3000	29億
ヒト	2万1000	33億
イネ	4万4000	3億7000万
ユリ	不明	1200億

資料／uniprot/KEGG/etc.

⬆生物どうしの遺伝子の違いは形から想像されるほど大きくはない。ヒトとの共通遺伝子は大腸菌で20％（約500個）、単細胞の酵母でも60%、マウスに至っては90％の遺伝子が共通するという研究もある。表の数値は研究が進むにつれ変化する。

図8-5 遺伝子の重複

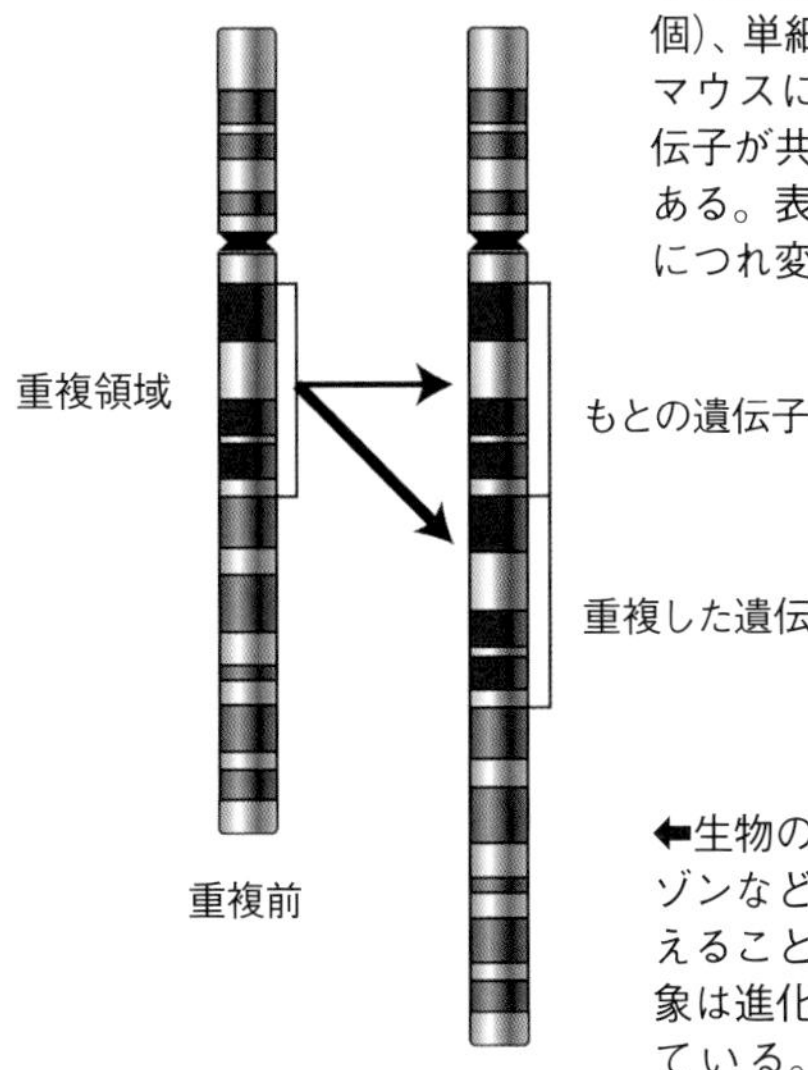

⬅生物の遺伝子はトランスポゾンなどのはたらきにより増えることがある。この重複現象は進化をうながすと見られている。資料／National Human Genome Research Institute

これらの進化では、遺伝子の使いまわしが重要な役割を果たしたと見られる。つまり**進化には必ずしも「遺伝子の変化」は必要ない**のだ。

　さきほど触れた**脊椎動物の誕生にも、遺伝子の使いまわしが関係している**という。この大変化が起こったきっかけは、5億年以上前に**生物の全ゲノムのコピー現象**が起こったことであった。それもコピーは2度起こり、その結果、ゲノムそしてもちろん遺伝子の総数は4倍になった。

　古代に起こったこのゲノム重複は、生物に〝冒険〟する余地を与えたと生物学者は考えている。遺伝子のはたらくタイミングや回数、それが機能する場所などがさまざまに変化するためだ。さらに、遺伝子そのものにも変異が蓄積しやすくなる。遺伝子やそのはたらき方に変化が起こっても、余分の遺伝子があるために生物は生き延びることができた。その結果、脊椎動物のような新しい生物が誕生したというのである。★6 全ゲノムの重複は生物の進化史上、何回も起こったと見られている。

　では生物はどうやって遺伝子の使い方を変えるのか?　さまざまな方法が知られているが、そのひとつは「**ジャンクDNA**」を使うものだ。ヒトのゲノムのほとんどの領域には遺伝子が存在しない。こうした領域は〝ジャンク（ガラクタ）〟と呼ばれていた。だが近年、その大部分は単なる**ガラクタではなく、遺伝子のはたらき方を制御する**はたらきをもつことがわかってきた。★7 ジャンクDNAは変異が速い。それだけでなく、自分のDNAを改編する能力ももっているらしい。

　ゲノム解読で生物学者を驚かせたのは、**人間のゲノムのじつに半分近くが〝動く遺伝子〟、すなわち「トランスポゾン」**★8 であったことだ。トランスポゾンはDNAの上を移動する能力をもっている。自分自身やときにはその周辺までDNAから切り出して別の場所に移動したり、自分のコピーを他の場所に埋め込んだりする。

★6　ゲノム重複による進化を1970年にはじめて科学的に論じたのは、日本出身（アメリカ国籍）の生物学者、大野乾（すすむ）。ゲノム解読により非常に多くの遺伝子群が重なっていることがわかり、その重要性が認識されるようになった。

★7　ジャンクDNAの大部分からRNA（ノンコーディングRNA）がつくられている。近年、これらはたんぱく質生産を調節する、細胞構造体の骨格となるなど多様な機能をもつことがわかってきた。

★8　**トランスポゾン**　ゲノム上を移動する遺伝子。跳躍遺伝子、動く遺伝子とも呼ばれる。1940年代、アメリカのバーバラ・マクリントックがトウモロコシの研究から動く遺伝子があることを見いだした。1983年ノーベル賞受賞。

★9　RNAを遺伝子としてもつレトロウイルスなど。遺伝情報をいったんDNAに変え、宿主のゲノムに挿入する。

✴Column✴

アタマにアシが生えたハエ

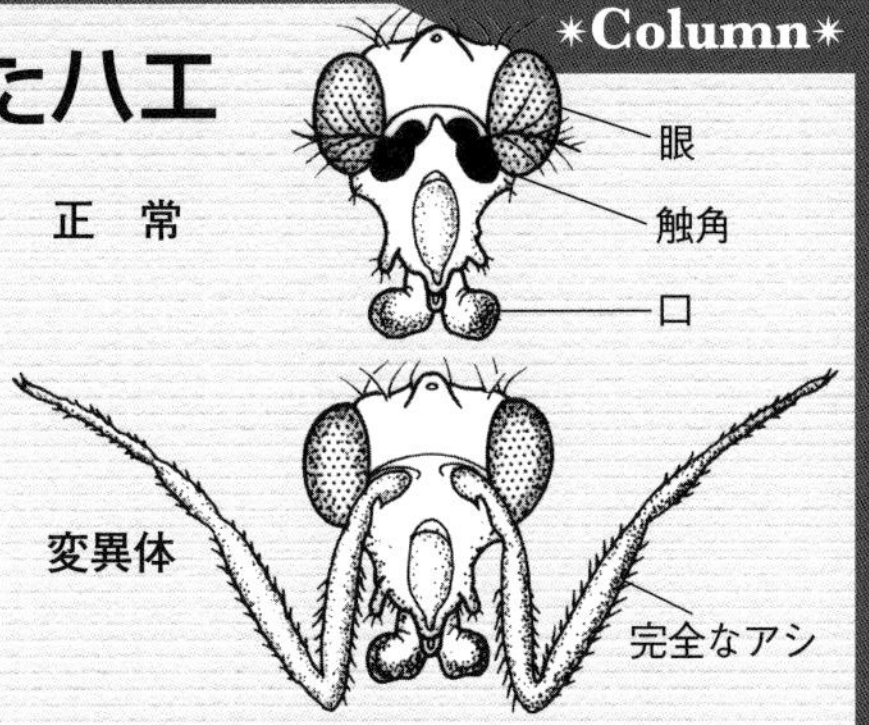

あるとき実験室で奇妙なショウジョウバエが生まれた。頭から触角ではなくアシが生えていたのだ。これは後にある遺伝子の変異の結果とわかり、同じような変異はほかにも次々に見つかった。ふつうは１対の羽が２対生えたものなどだ。

こうした遺伝子にはどれもDNAの並び方にほぼ一致する部分（**ホメオボックス**）がある。この部分をもつ遺伝子の仲間は「**ホックス(HOX)遺伝子**」と呼ばれ、染色体上に複数集まっている。

研究者が驚いたことに、ホックス遺伝子をもつのはショウジョウバエだけではなかった。すべての脊椎動物、つまりヒトやネズミ、スズメやカラス、カエルやワニ、それにサメなど**あらゆる動物がよく似たホックス遺伝子をもっていた**のである。

一連のホックス遺伝子は**体の基本設計**を決める遺伝子で、アシや触角などをつくる場所を決定すると見られる。これらはゲノム（DNA全体）の中で実際の体の構造と同じように、頭、胸、腹に関係する部分が順序よく並び、端から順にはたらいて（発現して）いく。

ホックス遺伝子は原始的な生物である線虫や単細胞の酵母ももっている。この遺伝子は生物進化の途上で**あらゆる生物に“使いまわし”**されてきたらしいが、この遺伝子自体の進化過程はいまのところ謎である。

これは遺伝子のはたらき方を大きく変える可能性を秘めており、染色体の本数を変えることさえある。トランスポゾンが〝遺伝子の使いまわし〟をうながしたのかもしれない。もっともトランスポゾンの多くはすでに無力化されており、自発的に移動したりコピーを始めたりはしないと見られている。

新しい遺伝子を他の生物から拝借

生物は自分の遺伝子を使いまわすだけではない。他の生物の遺伝子を失敬することもさしてめずらしくない。

さきほどヒトゲノムの半分以上がトランスポゾンであることに触れたが、じつはその一部はもとをたどると外部のウイルス[★9]であった。いいかえると、かつて外部から**感染したウイルスが、いまのわれわれのDNA上に残っている**のだ。そしてわれわれの体は、こうしてわが身となった**ウイルス遺伝子を逆に利用する**ことがある。その典型例が哺乳類の**胎盤**である。

哺乳類は胎児を体内で育てる。このとき胎児は母

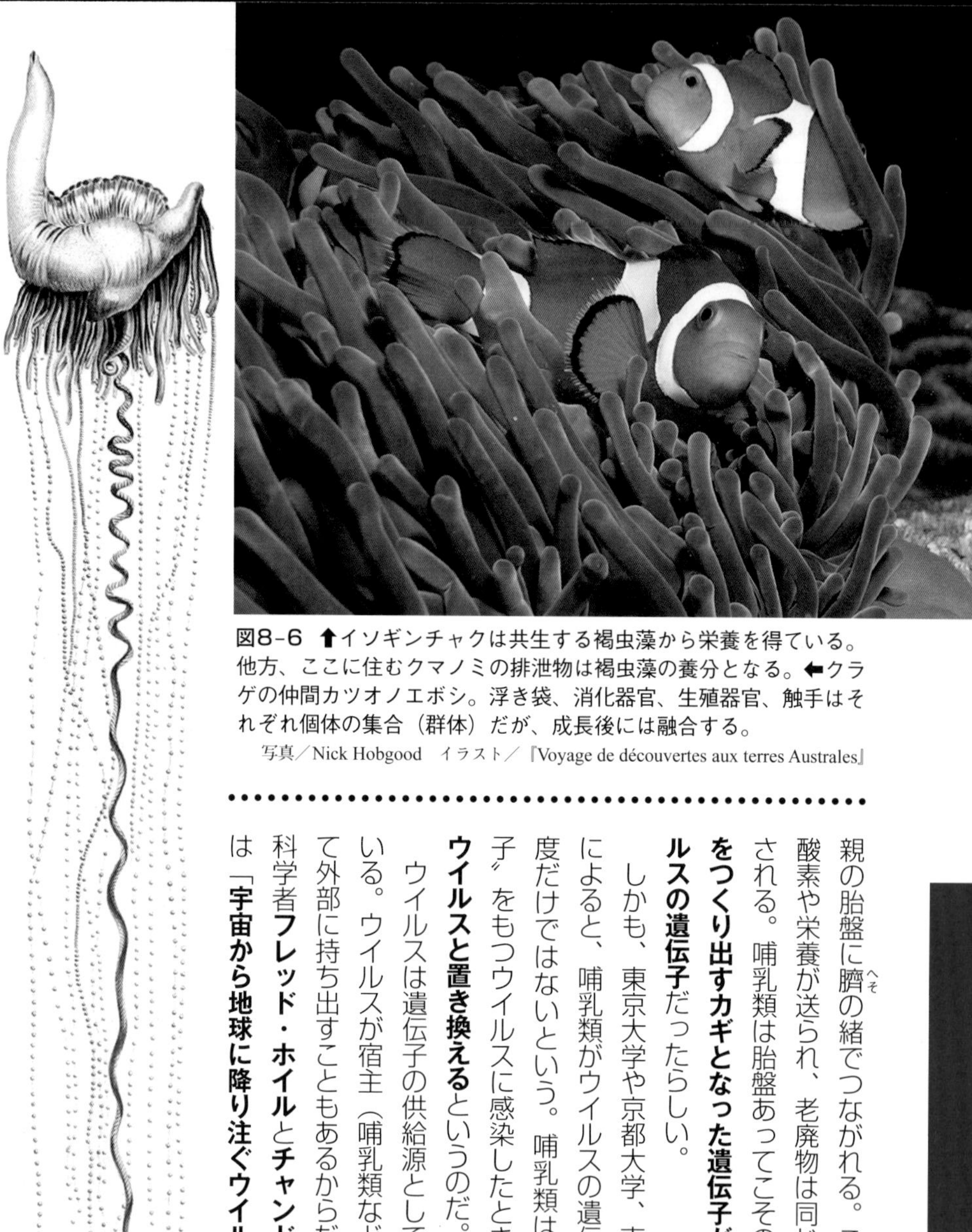

図8-6 ⬆イソギンチャクは共生する褐虫藻から栄養を得ている。他方、ここに住むクマノミの排泄物は褐虫藻の養分となる。⬅クラゲの仲間カツオノエボシ。浮き袋、消化器官、生殖器官、触手はそれぞれ個体の集合（群体）だが、成長後には融合する。
写真／Nick Hobgood　イラスト／『Voyage de découvertes aux terres Australes』

親の胎盤に臍の緒でつながれる。この緒を通して胎盤から酸素や栄養が送られ、老廃物は同じルートで胎盤に送り返される。哺乳類は胎盤あってこその存在なのだ。この**胎盤をつくり出すカギとなった遺伝子が、もとをたどるとウイルスの遺伝子**だったらしい。

しかも、東京大学や京都大学、東海大学の研究グループによると、哺乳類がウイルスの遺伝子を受け取ったのは一度だけではないという。哺乳類は〝能力のすぐれた遺伝子〟をもつウイルスに感染したとき、それをすかさず**古いウイルスと置き換える**というのだ。

ウイルスは遺伝子の供給源として好都合な性質をもっている。ウイルスが宿主（哺乳類など）の遺伝子をコピーして外部に持ち出すこともあるからだ。かつて、イギリスの科学者**フレッド・ホイル**と**チャンドラ・ウィクラマシンゲ**は「**宇宙から地球に降り注ぐウイルスが地球生物を進化さ**

せた」と主張した（66ページも参照）。ウイルスが宇宙由来か否かはともかく、これはひとつの卓見だったといえそうである。

共生は〝進化の跳び箱〟

こうして見ると、生物は利用できるものは何でも利用しているようだ。その最たるものが「**共生**」である。

共生は地球のありとあらゆる場所で見られる（図8-6）。アメリカの生物学者**リン・マーギュリス**（図8-7）は、生物の大進化も共生の産物だと主張する。

約20億年前、**原始的生命体（原核細胞）である細菌**が他の細菌を呑み込んだ。このとき、呑み込まれたものの完全に消化されなかった細菌が、呑み込んだ細菌の中で生き続けた。こうして両者が一体化した結果、酸素呼吸する細菌や光合成する細菌などが生まれた。**細菌どうしの共生によって新しい機能をもつ新たな細菌が出現**し、それが複雑な構造をもつ「**真核細胞**★10」になったというのである。真核細胞は、**小さな変異の積み重ねではなく、一足飛びに進化の階段を飛び越え**て生まれた新しい生命体である。

植物や動物などの多細胞生物はすべて真核細胞でできている。真核細胞が生まれなければ哺乳類もわれわれ人間も登場しなかった。

この「**細胞内共生説**」はロシアの**K・S・メレシコフスキー**が唱えたものだが、リン・マーギュリスはそこに強力な証拠をつけ加えた。当初、他の生物学者たちから無視されたこの共生説はいまでは定説となり、高校の教科書で紹介されるまでになっている（筆者らのチームはかつてマーギュリスに長いインタビューを行い、日本で発表している）。

生物の進化が自然選択によって方向づけられることに異論を唱える研究者はほとんどいないであろう。だがこの進化という出来事を、（現代を代表する世界的進化学者リチャード・ドーキンスなどが主張するように）無数の小さな変化の積み重ねの結果だとして片付けることには無理がある。生物は、もっと**ダイナミックで能動的な進化の駆動力**をそなえているようなのである。●

図8-7 ⬆生物は共生によって進化すると主張するマーギュリス。
写真／Jpedreira

★10 **真核細胞** 遺伝物質DNAが小さな袋（細胞核）に包まれている細胞。細胞内にミトコンドリアや小胞体、葉緑体、ゴルジ体などの細胞小器官が存在し、細菌（原核細胞）よりはるかに大型で複雑。

●パート9

人類の始まり

人間になったものと消え去ったもの

ヒトと動物は〝地続き〟

地中海のシチリア島で生まれた修道士に**トマス・アクィナス**という男がいる。13世紀の話だ。彼は敬虔なカソリックの信者だったが、それだけでは物足りず、〝全能なる神とその御業〟を論理的に理解しようとした。彼の内面の〝科学する心〟がそうさせたらしい。

彼が死ぬと、まわりの修道士たちはアクィナスとその遺体の〝聖性〟を信じ、他の修道会に遺体を奪われまいと衆議一決。そこで彼の遺体を密かに保存しようとまず**頭部を切断、さらに全身をゆでて骨だけにした**。これは**人間にしか見られない奇怪な行為**だ。動物は決してこんな愚かで無意味なことをしない。

では何が人間と他の動物を分かつかと聞かれたとき、誰が適切な答えをもっているだろうか?

意識や知能が違うと言う人がいるかもしれないが、見当違いもはなはだしい。哺乳類や鳥の多くは人間と同じ意識やときには驚くほどの知能をもち、感情(愛情や悲しみ、怒り、嫉妬など)に至ってはしばしば人間以上に深く繊細である。**集団生活や社会生活**も人間

図9-1 ⬅類人猿から人類への長く謎の多い道のり。
作図/矢沢サイエンスオフィス

の専売ではまったくない。サルやゾウやライオンはみな家族や集団（群れ）で生きており、昆虫でもハチやアリのように女王を頂点とする社会を築いている。ライオンやハイエナやオオカミ、海洋で生きるシャチなど、集団で手分けして食糧調達（狩り）を行う哺乳類はいくらでもいる。

道具の使用も人間だけのものではない。カラスは道路に木の実を落として通過する車に割らせるし、チンパンジーは石をハンマーのように使ってヤシの実を割る。**物作りや農耕**も同様だ。葉を巧みに編み上げて住まい（巣）をつくるハタオリドリ、巣の中でアブラムシを飼い、キノコに肥料を与えて育てるハキリアリなど、視野を広げればきりがない。

言語は人間だけの特色のように見える。だが他の動物は人間の言葉とは違っていても複雑なコミュニケーションの方法を用いる。人間と暮らす動物は人間の言葉や抑揚のもつ意味も理解するようになり、訓練されたチ

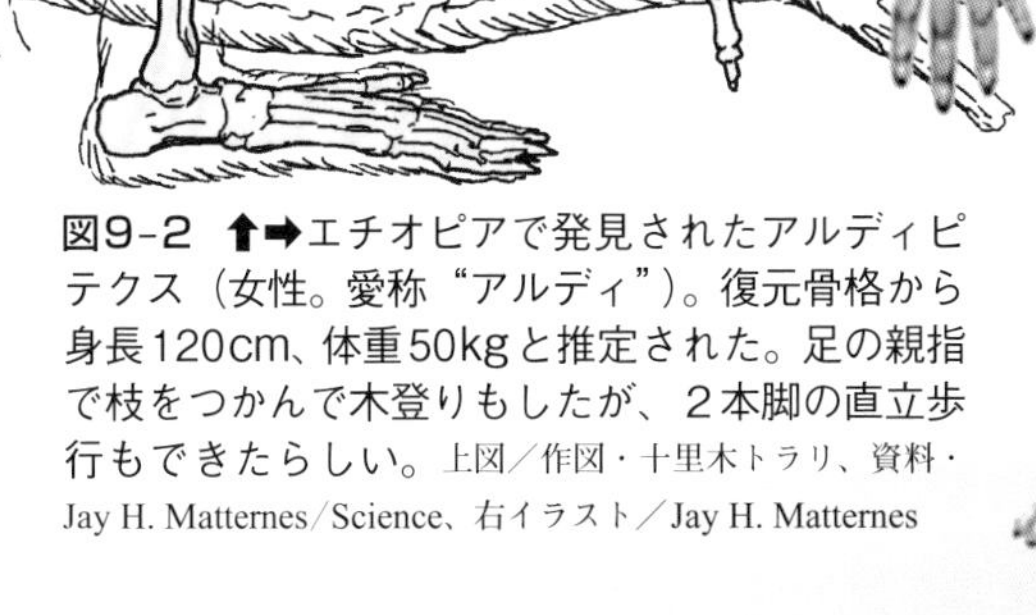

図9-2 ⬆➡エチオピアで発見されたアルディピテクス（女性。愛称“アルディ”）。復元骨格から身長120cm、体重50kgと推定された。足の親指で枝をつかんで木登りもしたが、２本脚の直立歩行もできたらしい。上図／作図・十里木トラリ、資料・Jay H. Matternes／Science、右イラスト／Jay H. Matternes

ンパンジーやボノボ★1（**図9-3**）は図形を使って会話ができる。また彼らの間には、ある集団内の行動を世代を超えて伝える〝文化〟も存在する。

2本脚の直立歩行は独特に見えるが、クマやチンパンジー、必要に迫られればイヌやネコなども2本の後脚で歩く。どこから見ても**人間と他の生物はなにひとつ断絶してはおらず、完全に〝地続き〟**である。

生物学的に見ても、**チンパンジーといまの人間（ホモ・サピエンス）の遺伝子の違いは1%あまり**でしかない。ある研究者は、人間だけに見られる特質は**宗教と物語**だけだと指摘する。非現実の〝別の世界〟を空想したり想像したりするところが特有だというのだ。しかし動物の頭の中をのぞくことはできないので、これも決定的とは言えそうにない。

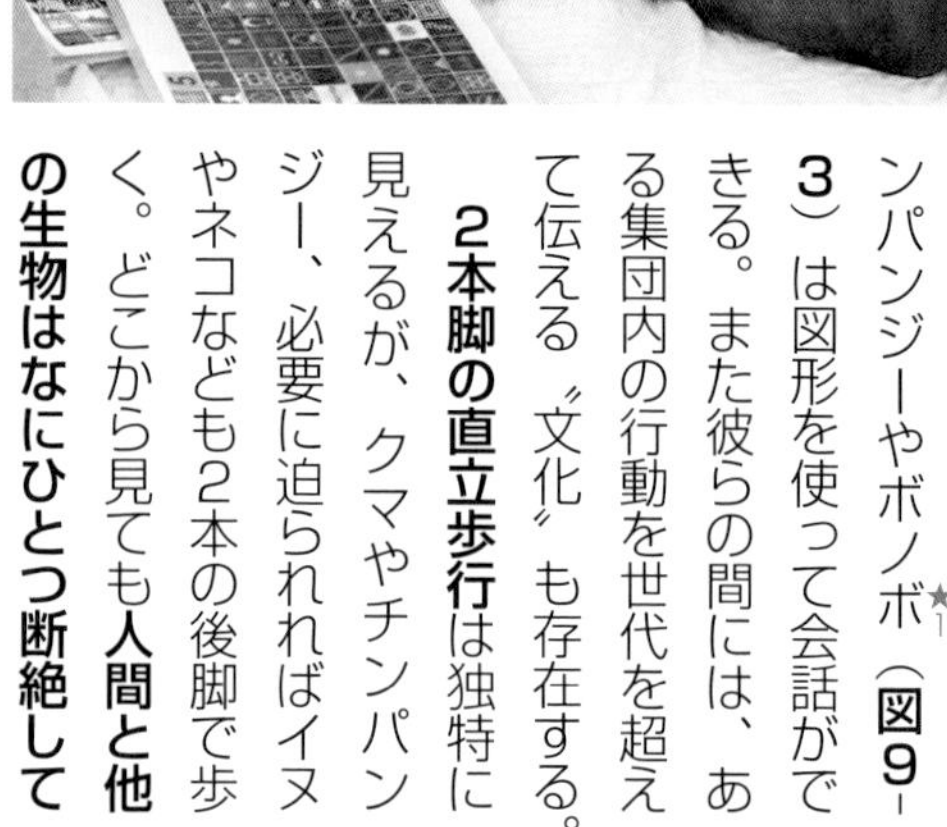

図9-3 ➡ボノボの兄妹が図形文字のキーボードを使い、心理学者と"会話"している。 写真／William H. Calvin

人間が地球生物の進化から生じたただ1本の枝である以上、他の生物とほとんどの点で共通しているのは当然である。しかし、その生息域を地球全体に広げ（ネズミやゴキブリ、ウイルスなども地球全域に広がってはいるが）、巨大な建造物や高速列車や人工衛星などあらゆるものをつくり出し、書物を書き記し、多くの生物を絶滅に追いやり、近年では遺伝子さえ操作するものが人間以外にいないこともたしかである。ではこの人間（人類）は、いつどのようにして地球上に現れたのか?

最初の人類は〝ルーシー〟から〝トゥーマイ〟へ

最初の人類は数百万年前にアフリカ大陸で生まれたとされている。

★1 訓練されたチンパンジーやその近縁種のボノボは、図形文字を使って簡単な意思疎通を行う。チンパンジーのアイやボノボのカンジが有名。後者は350以上の図形文字を覚え、簡単な文章をつくることもできるという。

★2 **分子時計** DNAやたんぱく質などの生体分子は、変異の蓄積する速度がほぼ一定とされる。この前提にもとづき、分子の変化速度を時計に見立てたもの。ある種と別の種が分岐した年代の目安とする。分子の変異速度は生物種によって異なる場合もあり、適用には注意が必要。

★3 **プレート** 地球の表面は薄く堅固なリソスフェア（地殻とマントル上層）におおわれている。これは数枚に分かれており、その1枚1枚を「プレート」と呼ぶ。グレート・リフトバレーはプレート境界部で、地下のマントルが大量に上昇している。その結果新たなプレートが生じ、地殻の乗った古いプレートを両側に押しやっている。

図9-4 ⬆アフリカの南北を貫くグレート・リフトバレー。“谷間”は幅が35〜100kmで湖が点在する。断崖の高さは300mほど、最大で1800mに達する。

写真／Peter Dowley　図／Sémhur

その根拠は、アフリカではさまざまな**初期人類の化石**のほか、近縁の**類人猿の化石**も数多く見つかっているためだ。さまざまな生物種に共通する分子の違いを見る「分子時計」[★2]でも、**チンパンジーとヒトが別の種へと分岐したのはわずか500万年前**とされている。しかし人類誕生が500万年前かもっと前か、アフリカ大陸のどこに出現したのかなどの見方は錯綜している。

20世紀末まで、**人類誕生の地は東アフリカ**とする見方が主流だった。アフリカ東部を延長7000kmにわたって南北に貫く巨大な大地の裂け目「**グレート・リフトバレー（大地溝帯）**」（**図9-4**）の〝谷底〟で人類は生まれたというのだ。リフト（裂け目）は単なる比喩ではない。この地溝帯は地球をおおう何枚かのプレート[★3]の境界にあたり、実際に大地が裂けつつある場所なのだ。

2000万年前、東アフリカは深い熱帯雨林でおおわれていた。食糧の豊富なこの森で類人猿は繁栄した。だが1

000万年ほど前に〝アフリカの裂け目〟が広がりはじめ、同時にその両側が隆起して巨大な山々をつくりはじめた。すると西から吹く湿った風は山々でさえぎられ、その東側の雨量が激減した。密生していた木々はまばらになり、大地は草でおおわれてサバンナとなった。

森の大半が失われたため、**ヒトの祖先となる類人猿は地上に降り、サバンナで生活するようになった。**彼らは点在する森から森へと移動して水や食糧を探した。身を隠すもののない緑地で肉食獣の攻撃を避けるには、遠くを見通して敵をすばやく発見する必要がある。そのため彼らは2本脚で歩くようになった。こうして長い時間がたつうちに、彼らは自由になった両手を複雑な作業に使うことで脳が発達し、ついに彼らは新しい種であるヒトになった――

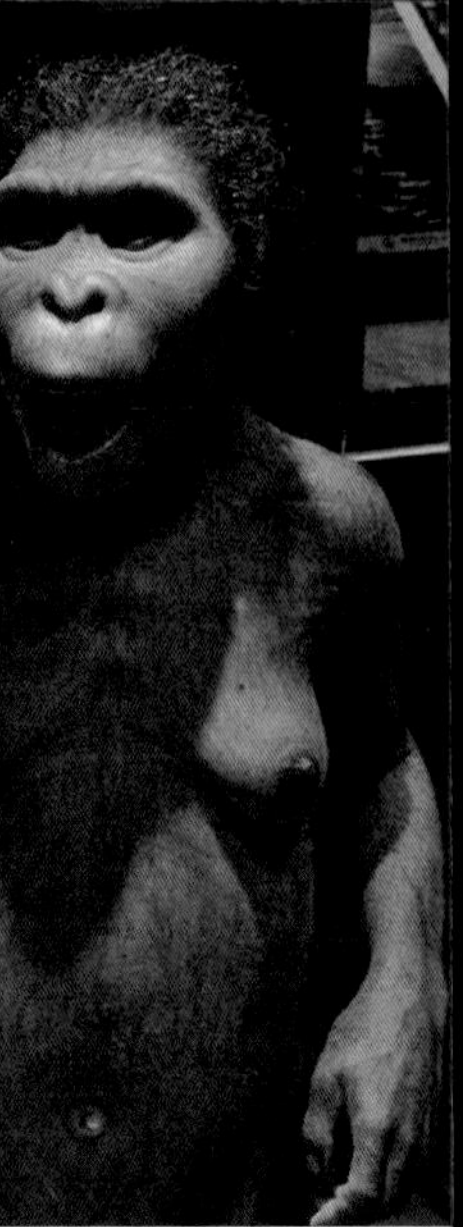

図9-5 ⬆約320万年前に生きたアウストラロピテクス・アファレンシスの仲間“ルーシー”。彼らが人類の直接の祖先とする見方もある。
写真／Momotarou2012／国立科学博物館

この単純な見方は「**サバンナ説**」とか、有名なミュージカル『ウエストサイド・ストーリー』をもじって「**イーストサイド・ストーリー**」と呼ばれる。実際、初期人類の化石の多くは、グレート・リフトバレーと**アフリカ南部**で発見されている。なかでも世界的に知られる女性の全身骨格**〝ルーシー〟**（**図9-5**）など猿人の一種**アウストラロピテクス**の化石は数多く産出している。

だが近年、このサバンナ説には疑問符がつけられている。1994年、日本の諏訪元（東京大学）などの研究グループが、ルーシーの発見場所近くで440万年前の猿人と見られる化石を発見した。諏訪らはこの化石人類を「**アルディピテクス**」（79ページ**図9-2**）と名付けた。

問題は、この化石が森林植物の化石とともに見つかったことだ。ルーシーは乾燥したサバンナで生きたが、**アルディピテクスは深い熱帯雨林で暮らしていた。にもかかわらず彼らは直立して歩いていた**――これは「サバンナが直立2足歩行を促した」とする説の根拠を崩す。そして、700万年前に生きていた「**サヘラントロプス**」の発見が疑問をさらに大きくした。

病気が直立2足歩行のきっかけ?

最初の**サヘラントロプス・チャデンシス**、愛称〝**トゥーマイ**〟（**図9-6**）は2001年、アフリカ中央のチャドで発見された。いまでは中学校の教科書でも、アウストラロピテクスに代わる〝最初の人類〟と紹介されている。

サヘラントロプスの頭骨は類人猿に似ていたが、犬歯が小さいなど人間との共通部分もあった。また頭骨の孔の位置から**直立歩行していた**と推測された。周辺の化石から見て彼らは湖に近い森林に住んでいた。とすれば、熱帯雨林の中で直立2足歩行していたことになる。

実は、サバンナで2足歩行が進化する理由はあまりない。2足歩行は4足に比べてとくに速い移動法ではなく、遠方を見るにも一時的に立てば十分である。身を守り、かつ獲物を狩るための武器をもつ必要があったとしても、4足歩行でも携行は可能だ。

では、**ヒトの祖先はなぜ立ち上がったのか?**

アメリカの人類学者**オーウェン・ラブジョイ**は「**プレゼント説**」を唱える。彼は、2足歩行は一夫一婦制の始まりとともに進化したという。つがいのオスが食糧を集めてメ

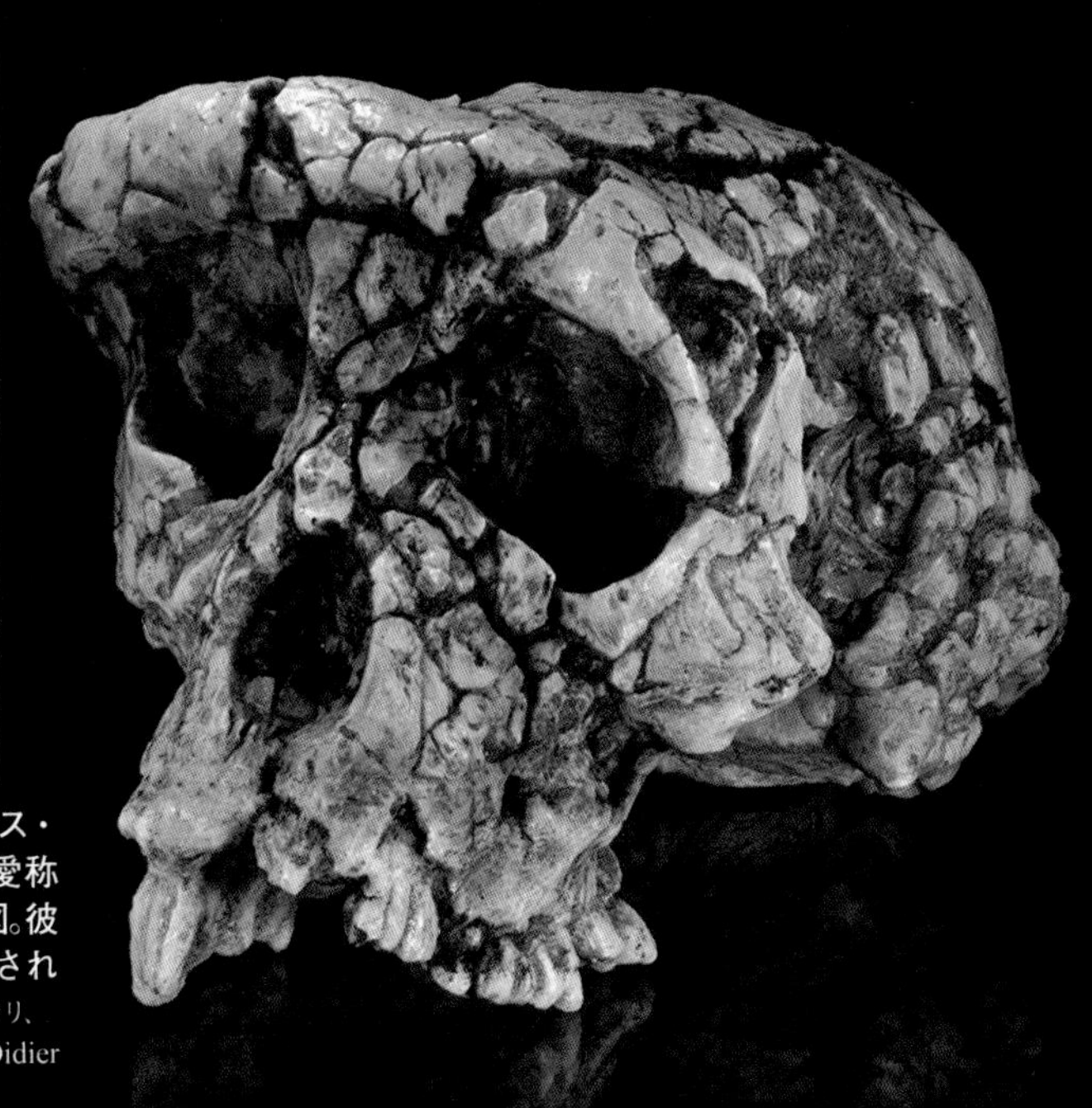

図9-6 ⬆➡サヘラントロプス・チャデンシスの頭骨（右。愛称“トゥーマイ”）とその復元図。彼らは“最古の人類”とみなされている。 上図／作図・十里木トラリ、参考資料・Rgaudin　右写真／Didier Descouens

スと子どものところに持ち帰る。このとき**2足で立てば両手が自由になり、より多くの食糧を持ち運ぶ**ことができる。その結果こうしたオスの繁殖率が上がり、2足歩行が自然選択された——いささかこじつけ的ではある。

別の研究者は、人類の祖先は手で枝をつかみながら樹上を渡り歩くうちに2本脚で歩くようになったという。水辺で活動する時間が増えたとの説もある。たしかにチンパンジーは小川を渡るときには2本脚になる。

病気説という奇説もある。イスラエルの動物園のクロザル、ナターシャはひどい胃腸炎で死にかかった。病気回復後、彼女は背骨を伸ばし、人間のように直立して歩くようになった。ある獣医はこれを、病気で脳に異常が生じたためと推測する。人類の祖先も病気が原因で歩きはじめたのか？　だが病気による異常は遺伝しないはずである。どれも憶測の域を出てはいない。

人間の脳が肥大・発達したわけ

サヘラントロプスの脳は350立方㎝とチンパンジーより小さかった。だが、彼らは直立2足歩行で**自由になった両手を使い続けた結果、手で道具をつくる**ようになった。

また生息環境が大きく変わると、ヒトは**生き延びるためにさまざまな工夫を強いられ**、それが結果的に脳を著しく発達させたのかもしれない。

アメリカの人類学者**ロビン・ダンバー**は、**脳の発達には社会活動が不可欠**だという。ヒトを含めてほとんどの霊長類の脳には「**前頭前野**」があり、ヒトではとりわけ大きい。ここでは思考や創造性、計画立案、推理などが行われ、ヒトがヒトであるための部位とも呼ばれる。かつて精神疾患の治療のために前頭前野を破壊する**ロボトミー手術**★4がさかんに行われたが、これによって患者が性格破綻を来たすという結果が生じた。

ダンバーは、**前頭前野は相手の心を推理することによって発達した**という。人間はふだん、他人の考えやそのまわりの人物との関係を推測する。実験では、類人猿も単純ながら相手の認識や判断を想像することがわかっている。集団の中で適切なふるまいを求められるようになると、他人の考えや行動を〝読む〟能力が高まる。これが脳を発達させるというのだ。

脳の大きさは体重の数パーセントにすぎないが、他方、**脳が消費するエネルギーは食物から摂取する栄養分の20**

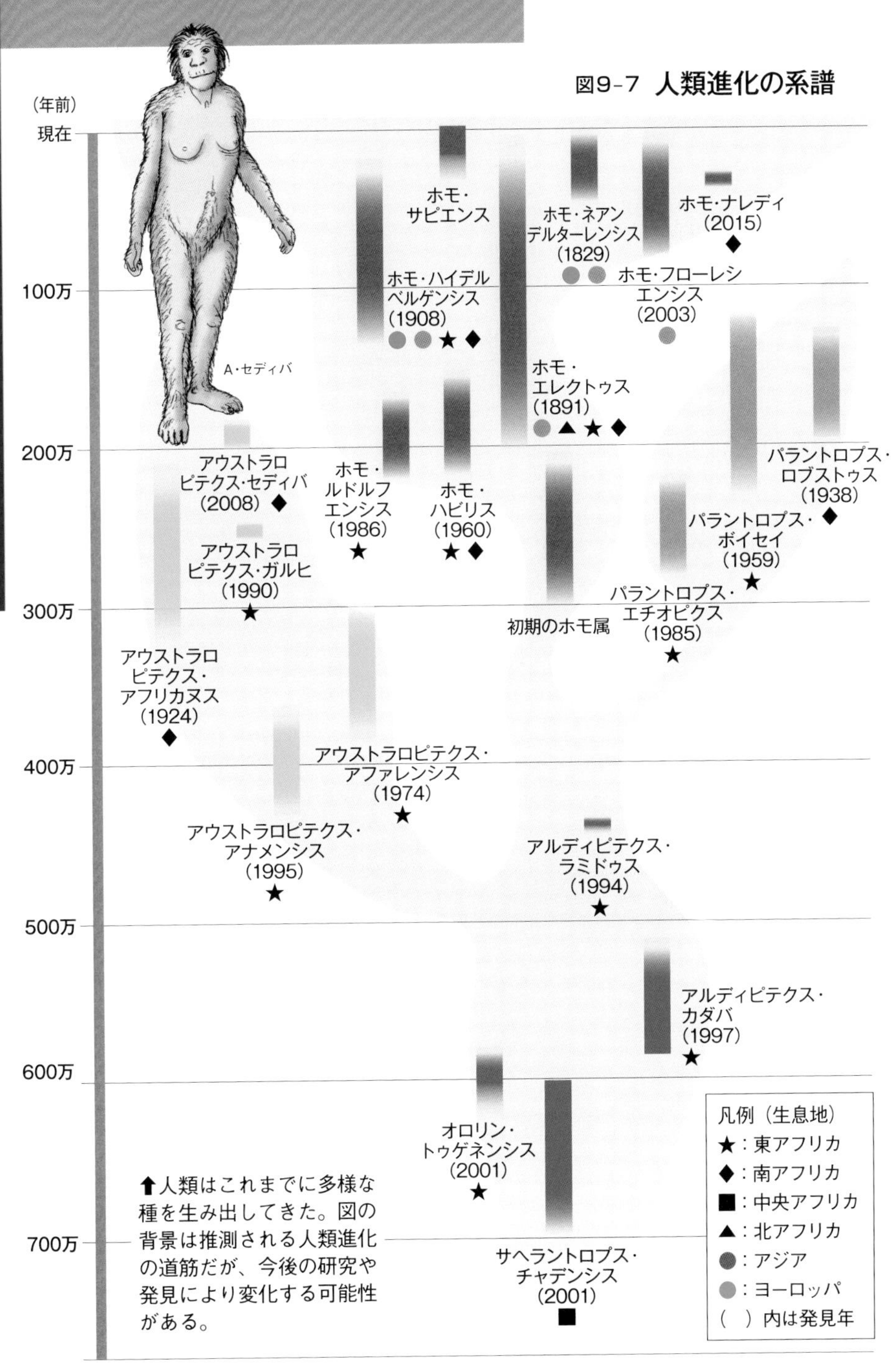

⬆人類はこれまでに多様な種を生み出してきた。図の背景は推測される人類進化の道筋だが、今後の研究や発見により変化する可能性がある。

資料／The Smithsonian's National Museum of Natural History、左上／作図・十里木トラリ、参考資料・Élisabeth Daynès

パーセントに達する。つまりヒトは、自らの脳の発達によって栄養価の高い食物を必要とするようになったのである。

動物は一直線には進化しない

では、サヘラントロプスやアルディピテクスが進化して、ついにわれわれの祖先になったのか？

それはさしあたり不明である。**進化は必ずしも直線的には起こらず、袋小路でとどまったり似たような進化が別の生物に起こったりしてもおかしくない。**

祖先人類の化石の発掘が行われたのはアフリカ大陸のごくわずかな地域であり、今後思わぬところから化石が見つかる可能性はつねにあり続ける。１９９０年代以降、実際に新たなヒトの化石がいくつも発見されたが（**図9-7**）、それらが互いにどんな関係にあるのかは未解明だ。

それでもなお、われわれの直接祖先**ホモ・サピエンス（現生人類）は20万年ほど前にアフリカで誕生した**という見方はあまり揺れ動いていない。ホモ・サピエンスは環境適応力や創造性が非常に高かった。そのため彼らはアフリカを出て世界各地に広がることができた。つまり人口70億人に達する現在のわれわれは全員、**アフリカの〝イブたち〟の子孫**だというのだ（左ページコラム）。

ホモ・サピエンス以外の人類はホモ・サピエンスに駆逐されたか、あるいは環境変化に耐えられずに滅び去った。だがなかには**ネアンデルタール人**のようにホモ・サピエンスと混交し、その遺伝子をわれわれの体内に残したものもいる。★5

現生人類ホモ・サピエンスは地球を改変するほどの能力をもった唯一の種ではある。だが**生存能力や環境適応力を問題にするなら、人間を上回る生物は少なくない。**いつか霊長類以外の哺乳類、鳥類やタコ、昆虫、病原ウイルスなどの中から人間以上の〝生き延びる力〟をもつものが現れ、地球支配者を自認する人類を崖から突き落とす日が来るかもしれない。●

ネアンデルタール人
現代人

図9-8 ⬆ネアンデルタール人は現生人類に比べて頭が大きい。

★4 ロボトミー手術 精神疾患患者の前頭葉の一部を切断、もしくは破壊する手術。１９３５年、ポルトガルの医師エガス・モニスが始めた（49年ノーベル賞受賞）。異常な興奮や暴力的傾向を抑えるなどの効果も見られたが、無気力化、知能低下などの重大な副作用が生じた。ジョン・F・ケネディの妹も手術を受け、人格喪失状態になったとされている。

★5 ネアンデルタール人（ホモ・ネアンデルターレンシス）は3万～8万年前頃、おもにヨーロッパでホモ・サピエンスと共存していた。そのDNAの一部は、アフリカ人を除く現生人類の遺伝子に残っており、両者は交雑していたと見られる。

✴Column✴

人類が他の人類を滅ぼした?

6万年以上前、**アフリカからホモ・サピエンスが新天地を求めて旅立った**。いちどに大集団で出発したのか少数ずつばらばらに旅立ったのかはわからない。飢えた家族やはぐれ者がときおり、あてもなく故郷を去ったのかもしれない。

ともかく彼らは、途中で世代交代しながら中東に達し、さらにヨーロッパやアジアへと散っていった。そしてついに世界全域に広がり、われわれ現生人類の祖先となった——

いま生きている人類はこうしてアフリカを脱出した数千人のホモ・サピエンスの末裔だとする見方を「**アフリカのイブ仮説**」と呼ぶ(**図9-9**)。

かつては「**多地域進化説**」、すなわち現生人類は世界のあちこちで個別に生まれたとの説が有力だった。約100万年前にアフリカから世界各地に移動した**ホモ・エレクトゥス**(北京原人、ジャワ原人など)が移住先で進化したというのだ。

ところが世界の人々のDNAを比較した研究は、どれも**現生人類の起源がアフリカにある**ことを示していた。地域ごとに独自に進化したにしては世界中の人間が"似すぎている"のだ。

だが地域ごとの進化が起こらなかったわけではない。アフリカを出たホモ・エレクトゥスは、ヨーロッパではホモ・サピエンスより頭の大きなネアンデルタール人(右ページ**図9-8**)となり、インドネシアでは身長1mほどの**"ホビット"(ホモ・フローレシエンシス**。103ページ**図11-8**)を生み出したらしい。他方アフリカでは、サピエンスとは別に**ホモ・ナレディ**も進化した。ナレディの脳はサピエンスの半分ほどだが、頭部の特徴から知能は高い可能性があるという。

彼らはすべて絶滅したが、原因はサピエンスにあるかもしれない。サピエンスとの生存競争に負けた、サピエンスと交配して種が吸収された、サピエンスが持ち込んだ病気が蔓延して死滅したなどの可能性が指摘されている。いずれにせよいまでは、サピエンスが唯一のヒト(ホモ属、人類)となってしまった。

図9-9

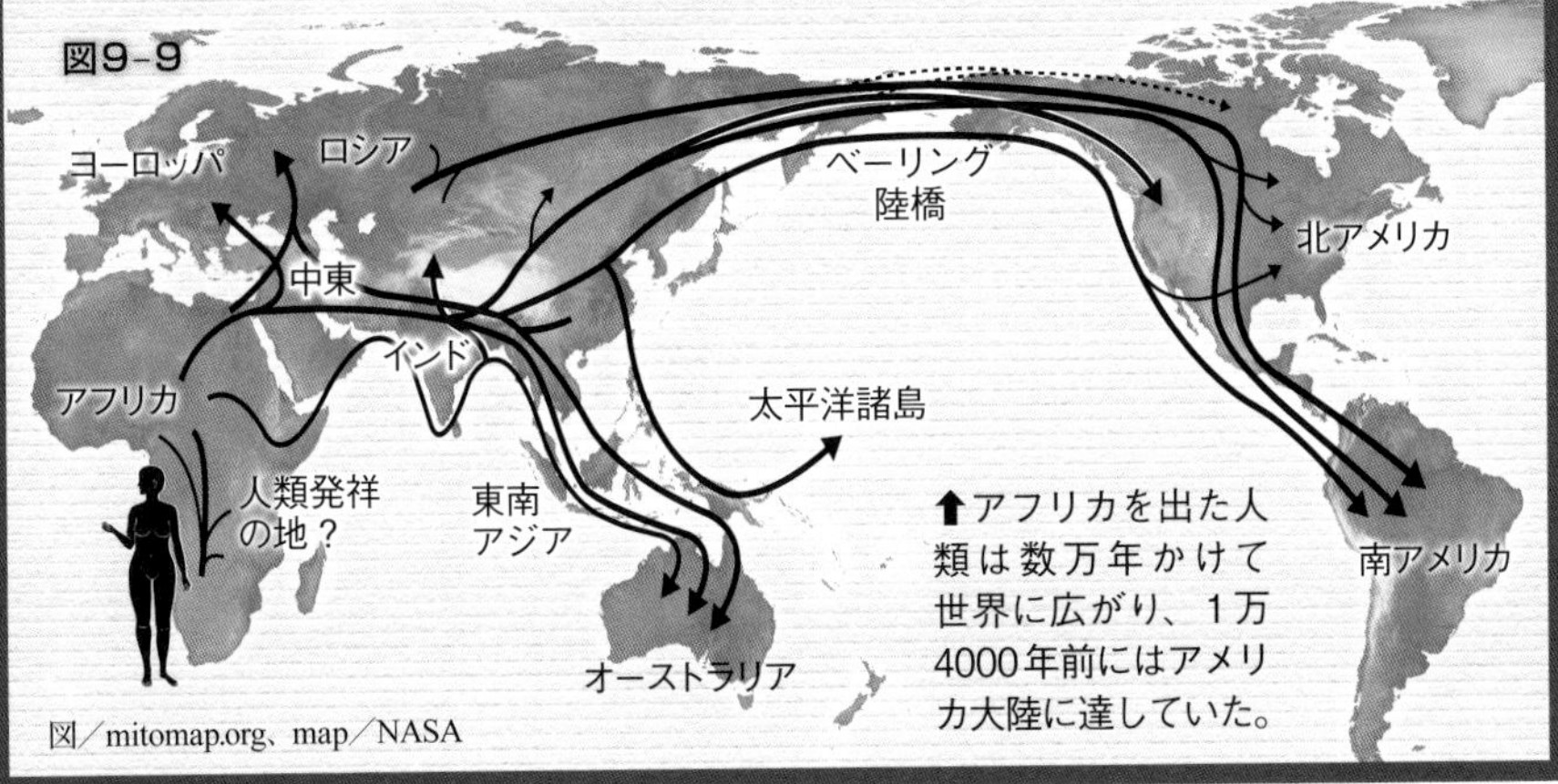

⬆アフリカを出た人類は数万年かけて世界に広がり、1万4000年前にはアメリカ大陸に達していた。

図/mitomap.org、map/NASA

●パート10

オスとメス（性）の始まり

オスの染色体、消滅の危機？

オスがメスに、メスがオスに変わる

われわれ人間には**男と女という2つの性（セックス）**がある。イヌやネコ、ライオンやゾウやクジラなどの哺乳類にもオスとメスがいるし、植物にもメシベとオシベ、あるいは雄株や雌株がある。しかしすべての生物の性がこのように単純に2分されるわけではない。

春、海辺の潮だまりに**アメフラシ**が現れる（**図10－1**）。アメフラシは「**雌雄同体**」、すなわち1匹がオスとメスの両方の生殖器をもっている。頭にペニス、背中にヴァギナである。進化の過程で貝殻を失った貝の仲間アメフラシは体長約15㎝で、敵に出合うと写真に見るように液体を放出する。煙幕を張ったようなその様子が雨雲を思わせ、それが名前の由来となった。

アメフラシは春から初夏にかけての産卵期に交尾する。頭部のペニスを別の個体の背中後方にあるヴァギナに入れるのだ。いまオスとして交尾している個体の背中のヴァギナに別の個体がペニスを挿入し、さらにその後ろから別の個体がペニスを挿入することもある（**図10－2**）――こうしてときには何匹もが数珠つなぎになり、その結果大量の卵が生み出される。

サンゴ礁などに棲んで大型魚の口内やえらを掃除する**ホンソメワケベラは、生まれたときはすべてメス**である。だが成体になると、群れで**いちばん大きなものがオスに性転**

図10-1 ⬆浅瀬に住むアメフラシ。敵が襲来すると、紫色の液を放出して煙幕を張る。
写真／Genny Anderson

換する。この群れ（ハーレム）でメスが産卵すると、そのオスはすかさず卵に精子をふりかける。雌雄同体で生まれる**クロダイのように、成熟するとオスになり、ついでメスに変態**して卵を産むものもいる。爬虫類の**カメの多くは、卵のおかれた環境がかなり高温ならメスに、低温ならオスになる。**ワニは逆で、高温でオスになるものが多い。

有性生殖か無性生殖か？

こうして見ると瞭然とするように、オスとメスは本来固定化されてはいない。それは生物の種が子孫を残すために行う「**生殖行動**」の便宜的手段でしかない。**同じ種がオスとメスに役割分担することによって子孫を残す**――生物が進化

図10-2 ⬇雌雄同体のアメフラシは数珠つなぎで交尾する。図／十里木トラリ

の過程で身につけたこの手法は「**有性生殖**」と呼ばれる。

だが、性つまりオスメスのない生物も存在する。それらは個体が自分自身を単に**2分割（分裂）して個体数を増やす**。あるいは自分と**同一の個体（＝クローン）をひたすら生み出す**。こうした増殖のしかたは性を用いないので「**無性生殖**」である。

有性生殖は非常に多くの生物が選択している基本的な生殖方法である。とりわけ脊椎動物のほとんどは有性生殖によって子孫を残す。無脊椎動物の昆虫では、バッタのようにメスだけで卵を産む（**単為生殖**★1）種もあるが、彼らもチャンスがあればオスと交尾して生殖する。アリやハチは有性と無性、あるいは単為生殖を使い分けている。

顕微鏡でなければ見えない大腸菌などの細菌や、ゾウリムシのような単細胞生物にも性はある。生物とは言い難いウイルスにも性をもつものがいる。★2 地球生物は何億年もの昔に、オスとメスによる生殖の方法を発見ないし発明したことになる。

有性生殖はときに非常に高くつく

だが**有性生殖は多大なコストを必要**とし、その割に見返りは少なそうでもある。コストのひとつは、まず**生殖相手と出合わなければ有性生殖はできない**ことだ。しかもオスは出合ってからも労力が必要だ。エサやダンスでメスの気をひいたり、1匹／1頭／1人のメスをめぐってオスどうしで争わねばならない。シカのようにオスどうしが角を突き合わせる、ある種のカマキリやクモのように交尾後のオスはメスに食われる、ヒトのオスのようにメスにふられると心が深く傷つく……

性にはそれほどの犠牲を払う価値があるのか？ 性など存在しない方が、生物はもっと効率よく生殖して子孫を残せるのではないか？

有性生殖によって登場したオスは、たしかに条件がうまく合えば多くの子孫を残せる可能性がある。だが相当のエネルギーを費やしても**自分の子ども（遺伝子）を残せないリスク**もある。無性生殖なら、その分のエネルギーでかな

★1 **単為生殖**
メスのみの生殖細胞から子孫を残すこと。生殖細胞の生成時に父母の遺伝子が組み換わることもあり、この場合は有性生殖となる。

★2 一部のRNAウイルスでは、遺伝子が数本の分節に分かれている。このようなウイルスが2種類以上同時に生物に感染すると、生物体内でウイルスが分節を交換することがある。これも性行為とみなせる。

★3 **性選択**
有性生殖において、片方の性が特定の性質をもつ相手を選択することにより、その性質が顕著に進化するしくみ。シカの巨大な角など。

りの数の子孫を得られるかもしれないのにだ。メスにとっても有性生殖が必ずしも有利ではない。無性生殖は〝クローン生産〟なので、1匹ないしひとりの子に自分の全遺伝子を引き継がせることができるが、**有性生殖では半分の遺伝子しか残せない。**

しかも、有性生殖では「**性選択**★3」によってあらぬ方向に進化することがある。ある種のショウジョウバエのオスは、自分以外のオスとの生殖を妨げるため、メスとの交尾時に性欲を抑える毒を相手に注入するようになった。インドネシア原生のイノシシ（バビルサ）のオスは性選択の結果、キバが上向きに湾曲して生えるようになったが、競争相手のオスに向けられるはずのこのキバがまれに自分の頭に刺さって命を落とすことがある。これでは有性生殖は有利にはたらいてはいない。

では、進化の過程でなぜオスメスによる有性生殖が定着したのか？ もし無性生殖のほうがより効率的なら、それはすぐに種の間に広まり、他方の有性生殖は消滅したはずにもかかわらず。

図10-3 ⬆有性生殖にはコストがかかる。写真は交尾後にオスを食べるメスのカマキリ。写真／Oliver Koemmerling

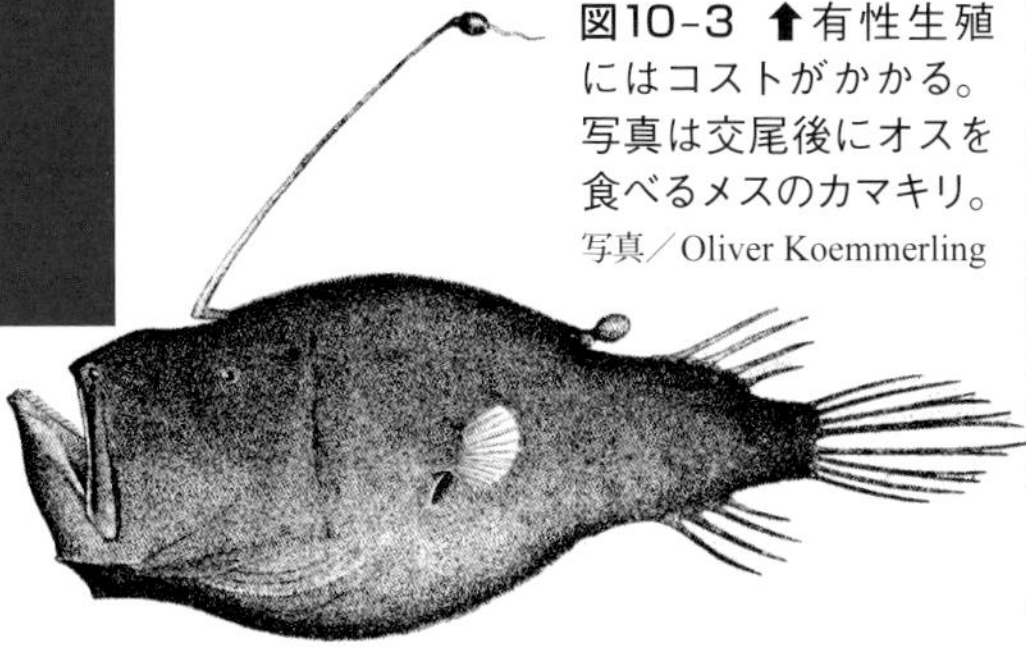

図10-4 ⬆チョウチンアンコウのオスは非常に小さく、メス（イラスト）に会うとかみついて離れない。そのうち体がメスと融合し、精巣のみが残る。写真／Oliver Koemmerling

「赤の女王」が有性生殖に味方？

現在の進化学者の間での〝合意〟は、**有性生殖は「遺伝的な多様性」を維持するため**というものだ。

有性生殖はオスとメスの遺伝子を混ぜ合わせる行為である。最新の説では人体は37兆個もの細胞からできているとされている。これらすべての細胞は赤血球を除いてその内部に、オス（父親）とメス（母親）から引き継いだ23本ずつ合計46本の**染色体**（93ページ**図10-5**）をもっている。このうち2本が性を決定する性染色体で、女性は2本ともX染色体、男性はX染色体とY染色体が1本ずつだ。

ただし、**生殖細胞（精子と卵子）**は例外である。これらの生殖細胞は「**減数分裂**★4」によって、親から引きついだ染色体の組み換えを行う。

細胞内に核をもつ真核生物の多くは、この減数分裂を経て生殖を行う。その結果さまざまな性質が組み合わされるため、少しずつ特徴の異なる子が生まれる。何世代かこれをくり返せば、もともとの遺伝子源がシャッフル（混ぜ合わせ）され、多様性は非常に大きくなる。多様な子どもがいれば、**環境が急変しても子どものどれかは新しい環境に適応して生き残れる**——

だが考えてみるとこれは奇妙な見方だ。たしかに生物の種の存続にとって多様性は有利かもしれないが、生物進化の駆動力とされる「**自然選択**」（70ページ参照）は種に対してはたらくわけではない。有性生殖は個体にとってはむしろ不利である。たとえ**すぐれた特質をもつ個体がたまたま生まれても、有性生殖はその組み合わせを壊してしまう**。有性生殖は生物にとって本当に有利な方法なのか？

ここに登場したのが「**赤の女王仮説**」だ。これはアメリカの進化学者**リー・ヴァン・ヴェーレン**が提唱したもので、彼は「**生物は病原体や捕食者から身を守るため、たえず変化しなければならない**」という。

毎年流行するインフルエンザでもわかるようにウイルスや細菌はすばやく変異し、新たな攻撃をしかけてくる。去年のワクチンは今年はきかないかもしれない。それに対抗するにはこちらも変化し続けることが不可欠だというのだ。名前の由来はルイス・キャロルの小説『鏡の国のアリス』である。そこでは赤の女王（チェスの駒）が主人公アリスの手をひいて飛ぶように走り、「もっと速く！」と叫ぶ。同じ場所に留まるには彼女らは全力で走り続けねばならない。生物もまた、**有性生殖でたえず遺伝子を組み換えて全力で走り続けること**で生き延びているというのだ。

生存の危機がオスとメスを生み出した？

多様性はそもそも重要ではないとの見方もある。生物は

★4 **減数分裂**
卵（卵子）や精子がつくられる際の細胞分裂のしくみ。脊椎動物の細胞は、父と母からそれぞれ引き継いだ2セットの染色体をもつ。これらは同じ染色体どうしで対をなす（図10-5）。減数分裂時には対となる染色体が混ざり合い、新たな染色体をつくり出した後、細胞が分裂する。最終的にできる卵や精子のもつ染色体は1セットのみとなる。

真核細胞

細胞核

染色体
（DNAが巻き付いたたんぱく質が細かく折りたたまれている）

図10-5 細胞と染色体

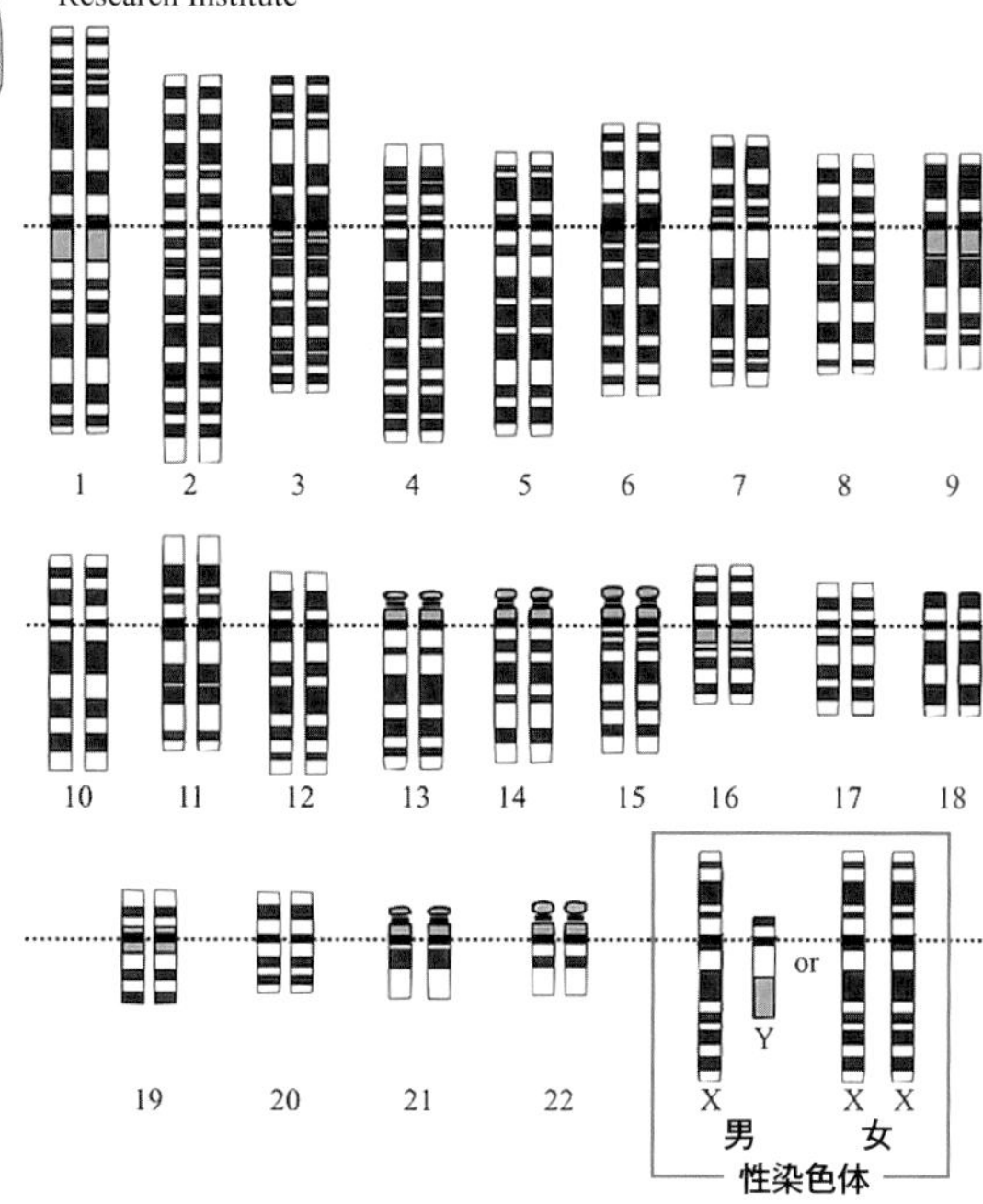

⬅⬇真核細胞は、細胞核の中に染色体を包み込んでいる。下は人間の22対の常染色体と1対の性染色体。
図／左・矢沢サイエンスオフィス、下・National Human Genome Research Institute

有性生殖により有害な変異を排除しているというのだ。

無性生殖では、有害な突然変異が蓄積していくことは避けがたい。ある変異が非常に有害なら個体はそこで死ぬが、さほど有害でなければ次世代に引き継がれる。いちど生じた変異は元には戻らないので、このような**突然変異が蓄積**していけば、ついには1本のワラが加わるだけである臨界点に達して〝ラクダの背が折れ〟、**種全体がたちまち絶滅**するかもしれない。アメリカの遺伝学者**ハーマン・マラー**の指摘である。

彼によれば、有性生殖なら遺伝子の組み合わせしだいで異常な変異のない個体が生まれる可能性がある。その個体が子孫を残す一方で、有害な突然変異が多い個体が早期に死に至るなら、有害な突然変異は徐々に排除されるはずだ。加えて**有性生殖は傷ついた遺伝子を修復**することもできる——だがこの説も推論の域からは出ない。

この疑問に希望のある答えを提供するかもしれない説にも触れておこう。それは、「原始的な生物の時代に、**生存の危機がオスメスを生み出した**」というものだ。

これはアメリカの生物学者**レミュエル・クリーヴランド**によるものだ。彼は顕微鏡で原始的生物を観察しているとき、ある発見をした。乾燥や飢餓で**死に直面した細菌が“共食い”**を始めたのだ。共食いした個体には相手を完全に消化したものもあったが、なかには細胞核やその内部の染色体を消化しきれないものもいた。そしてこうした個体では、**もとの核と新たに呑み込まれた核がひとつに合体したというのだ**！

危機にさらされた個体のこうした生き残り戦略が性の起源だとクリーブランドは主張した。オスとメスのセックス（交合、交尾）でもこれと同様、精子のもつ細胞核と卵子のもつ細胞核が合体・融合する。**1個の細胞内に2個の生命体**――これが、オスとメスが生み出された経緯だというのである。

図10-6 性の分化

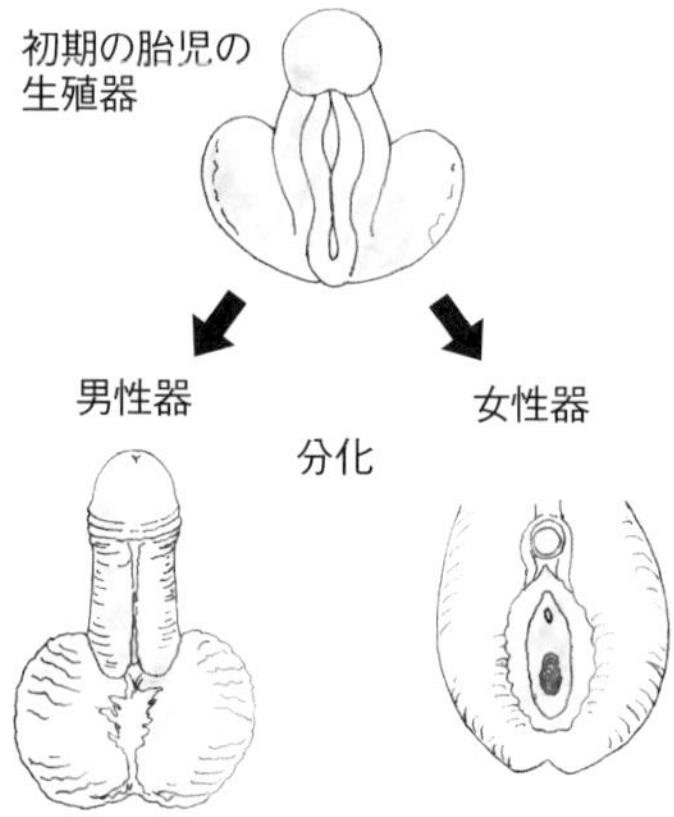

初期の胎児の生殖器

男性器

分化

女性器

⬆ヒトは胎児の8週目頃までは男女にほとんど違いがない。その後、男性に精巣がつくられはじめると、精巣が分泌するテストステロンにより男性の生殖器が発達する。テストステロンがない場合は生殖器は女性型となる。　図／ぐみ沢朱里

性はいつか終わる？

性は生物の生存戦略として著しい成功を収めてきたように見える。だが近年、人間のオス（男性）の**精子の劣化と退化**が世界的に指摘されている。

デンマークの内分泌研究者ニールス・スカケベックの研究によると、1940年代の男性の精液中の精子は1ミリリットル（cc）あたり**1億1000万個以上**あった。だが1990年の若者では**6600万個**に激減したという。

精子の数だけではなく精子の運動能力の低下も指摘されている。**生殖医療**が進んで劣化した精子でも**人工授精**が可能になったことが、この傾向に拍車をかけている。しかも男性の**Y染色体そのものが消滅の危機**にあるというのだ

★5　万能細胞
人間の細胞はいちど分化して特定の機能をもつと、別の細胞に変化できない。これに対し、受精直後の胚の細胞はあらゆる細胞に変化が可能。このような能力をもつ細胞を万能細胞という。ES細胞（胚性幹細胞）、iPS細胞（人工多能性幹細胞）などがある。

★6　SRY遺伝子
哺乳類に共通するY染色体上の性決定遺伝子。胎児期にこの遺伝子が発現すると、胎児はオスになる。例外的にトゲネズミにはY染色体がなく、これ以外の遺伝子が性を決定している。

（**左コラム**参照）。

いまや、ES細胞やiPS細胞などの万能細胞から★5 〝精子をつくる〟ことさえ可能になっている。男と女の性がなくても子どもをつくれる時代である。これはしかし、生物学的に見れば**人類の〝性の終わり〟**の始まりかもしれず、さらには人類の衰退の始まりかもしれない。

他方で、生殖医療により新たな能力をもつ**〝第2の人類〟**が出現する兆候も見せている。遺伝子操作によるデザイナーベビーの試みなどが、すでに現実社会にチラチラと登場しているのである（パート13参照）。●

✴Column✴

Y染色体が消失して“男”が消える？

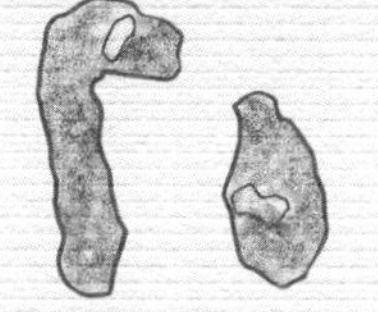
⬆X染色体（左）とY染色体。

2002年、現代人にとって衝撃的な論文が有名科学誌「Nature」に発表された。「**Y染色体はいずれ消える**」というのだ。発表者はオーストラリアの遺伝学者**ジェニファー・グレイヴス**。彼女によれば、われわれの遠い祖先はY染色体とX染色体にほぼ同数（1500個）の遺伝子をもっていた。だがY染色体上の遺伝子は傷ついて数を減らし、現在の男性ではわずか50個。この過程は今後も続き、いずれY染色体上に有効な遺伝子はなくなるという。

Y染色体が傷つきやすいのは対になる染色体が存在しないため。**Y染色体上の遺伝子はいったん傷つくと修復できず**、しだいに機能を失っていく。さらに、**Y染色体はX染色体とつねに勝ち目のない闘い**をしているらしい。

性染色体ができたころそれらに大きな違いはなかったが、しだいにそれぞれの性に役立つ遺伝子が増えていった。ときには同じ遺伝子がオスメスで異なるはたらきをもつため、両方で奪い合いが生じた。この過程で**X染色体はときにY染色体（あるいはオス）に不利益な遺伝子を進化させる**。たとえばY染色体上の遺伝子がつくるたんぱく質を感知し、その遺伝子をもつ精子を攻撃するように。その結果、問題の遺伝子が機能不全になった精子しか生き残らない。実際アフリカに住むあるチョウはこの進化の結果、**個体の97％がメス**になった。

人間のY染色体で最重要の遺伝子は、個体を“男にする”**SRY遺伝子**（★6）である。この遺伝子はいろいろな人種間ではほとんど差異がない。ところが人間とチンパンジーなどの類人猿とは差異が大きい。これは、X染色体の攻撃を避けるためにSRY遺伝子が大きく変異した結果だという。もしオスのSRY遺伝子がメスのX染色体の攻撃から逃げ続けられずY染色体が機能しなくなったら、**オス（男）は地上から消えてしまうのか**？

性を生み出すには必ずしもY染色体に頼る必要はないとする生物学者の見方だけが、オスの生き残りへのわずかな希望ではあるが。

●パート11

日本人の始まり

さまざまな民族が列島に集結

いまでは古い日本人起源説

日本人であるからには誰もが、日本人はいつどこからやってきたのかを知りたいと考えるのが自然である。自分の祖先を何千年、何万年の過去へとさかのぼれば、**人類アフリカ起源説**（パート9）を考える前に、まず日本民族の起源にたどり着けるのではないか。

このように書き始めておきながら落胆させるようでもあるが、ありていに言って、**日本人の起源はまだ漠としている。**問題を複雑にしているひとつの理由は、**日本列島の地理的条件**である。この島々は、ユーラシア大陸（広域アジア大陸）の東の端から太平洋へとジャンプしたところに浮かんでいる。太古の人間が陸伝いに、ないしは原始的な舟で海を渡ってここにたどり着いたであろうことは確かだが、それ以外は推測の域を出ない。

現代の日本人の多くも、日本列島がアジア大陸から海で切り離されている以上、そこに住む人々が単純に〝アジア人の一部〟とは考えない。おそらく多くの人は、**日本人は多かれ少なかれ周辺地域――アジア大陸北方、朝鮮半島、中国大陸、東南アジアなど――との海を隔てた歴史的交流**

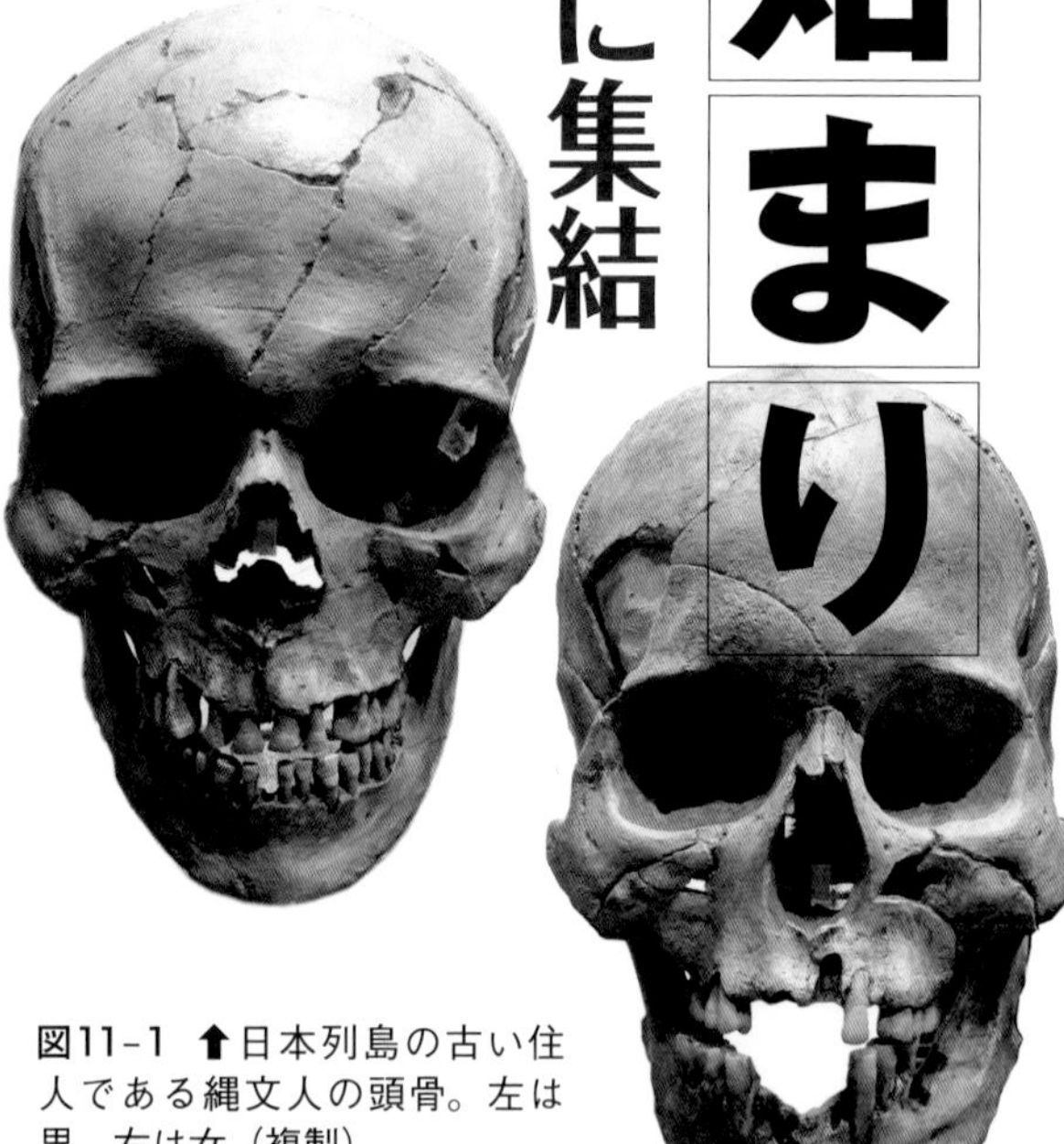

図11-1 ⬆日本列島の古い住人である縄文人の頭骨。左は男、右は女（複製）。

写真／国立科学博物館展示

の産物という見方を共有しているのではなかろうか。21世紀のいま、遠い祖先が天から高天原（たかまがはら）に降ってきたと信じている人はあまりいそうもない。

最新の仮説を見まわす前に、少し**古い日本人起源説**に触れておかねばならない。古い説と新しい説はつねに対比すべきものだからだ。最新の仮説とは言うまでもなく、情緒的な批判や否定を許さない**科学的手法、すなわち遺伝子解析から導かれるものだ。**

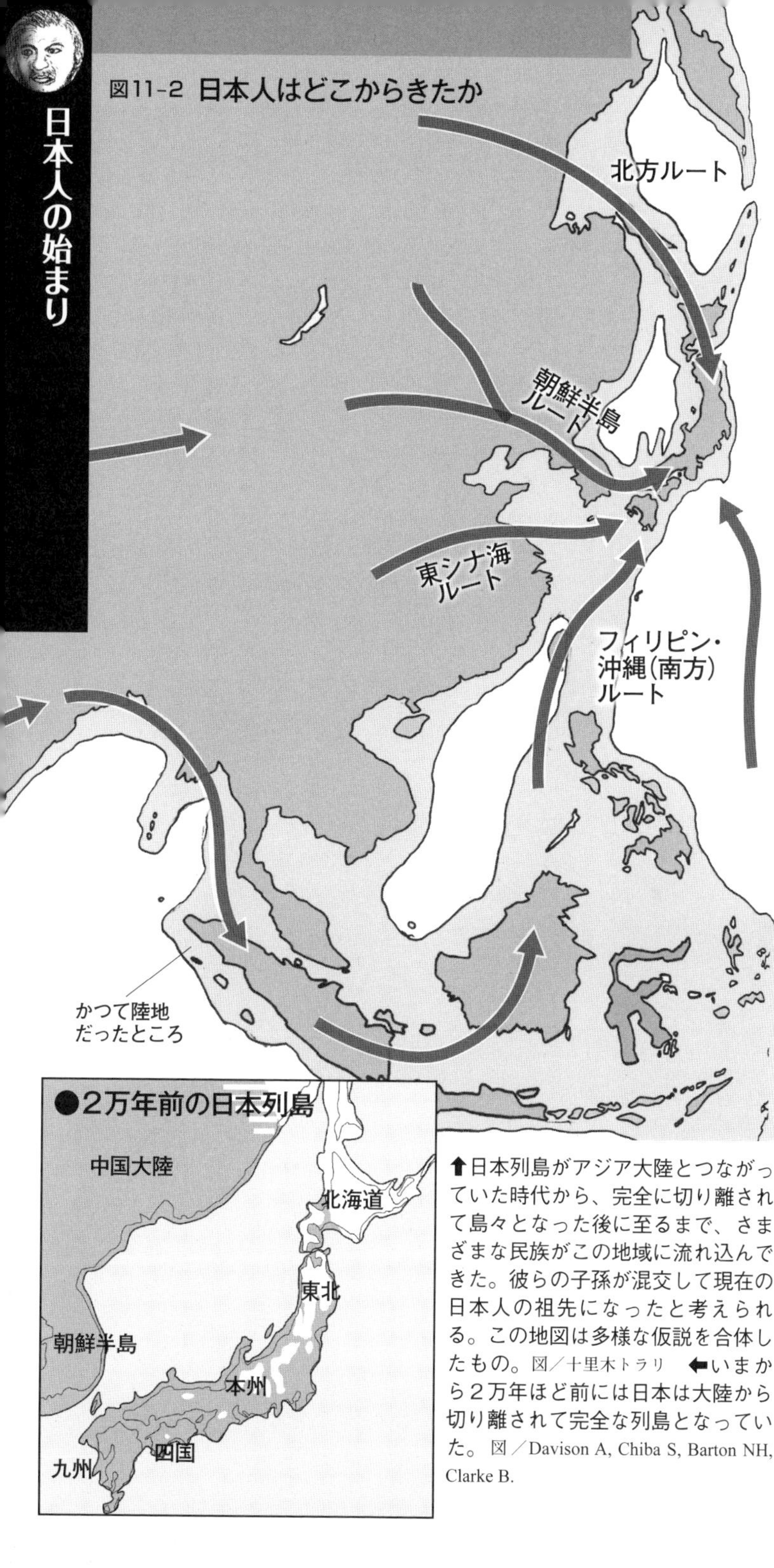

⬆日本列島がアジア大陸とつながっていた時代から、完全に切り離されて島々となった後に至るまで、さまざまな民族がこの地域に流れ込んできた。彼らの子孫が混交して現在の日本人の祖先になったと考えられる。この地図は多様な仮説を合体したもの。図／十里木トラリ　⬅いまから２万年ほど前には日本は大陸から切り離されて完全な列島となっていた。図／Davison A, Chiba S, Barton NH, Clarke B.

かつての日本人起源説の多くは、出土化石などに見られる古代日本人の頭骨や骨格、文化遺構、言語などを根拠としていた。それらをもとに、民族としての日本人は特異であり、他のどんな民族からも独立しているという結論に至るものだ。

これが必ずしも間違っているというのではないが、そこには**明らかかつ広範な証拠がないのが弱点**である。犯罪捜査と同様、物理的証拠を最優先する現代では、状況証拠プラスわずかな物的証拠だけでは説得力をもち得ない。解釈しだいで「どうとでも言える」からだ。

図11-3 日本人と他民族の遺伝的つながり

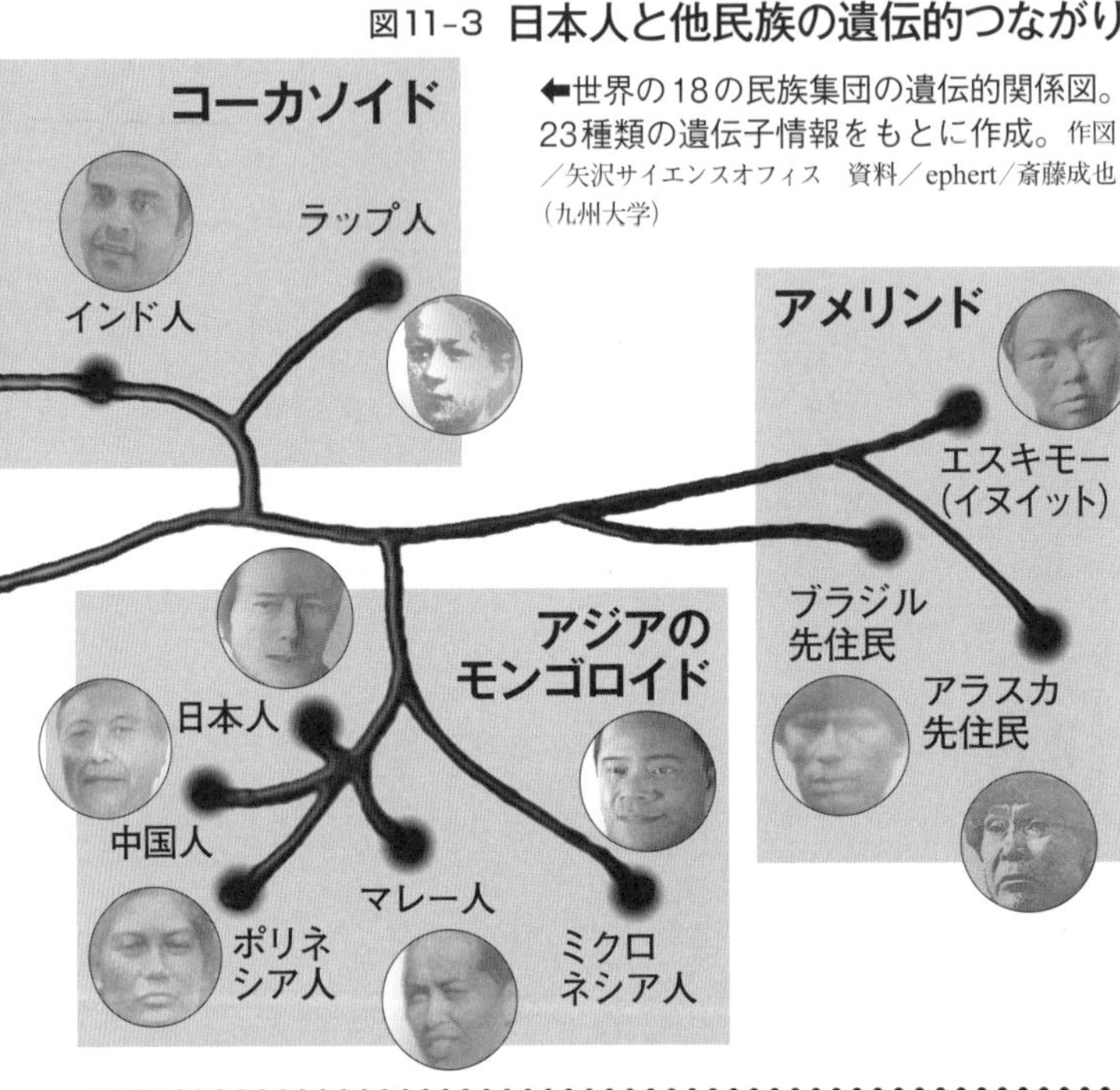

⬅世界の18の民族集団の遺伝的関係図。23種類の遺伝子情報をもとに作成。作図／矢沢サイエンスオフィス　資料／ephert／斎藤成也（九州大学）

日本人は3つの起源をもつ？

いまから**1万5000年ほど前まで、地球は氷河時代の中の氷期**であった（氷河時代には、非常に寒冷な氷期と温暖な間氷期が交互に訪れる。現在の地球は間氷期）。

それ以前、**日本は列島ではなく、いくつかの陸橋でアジア大陸とつながってた、または狭い海峡をはさんで指呼の間にあった**。いまの北海道はサハリンからシベリアへとつながり、九州や山陰地方はいまの朝鮮半島と陸続きだった。そして九州南部は琉球（沖縄）から台湾まで陸続き、ないし海峡をはさんで飛び石づたいの距離にあった。つまり日本はアジア大陸の極東地域をなしていた（**図11-2**）。

さらに南を見ると、フィリピンはインドネシアからヴェトナム、中国へと続き、その東側はオーストラリア大陸に

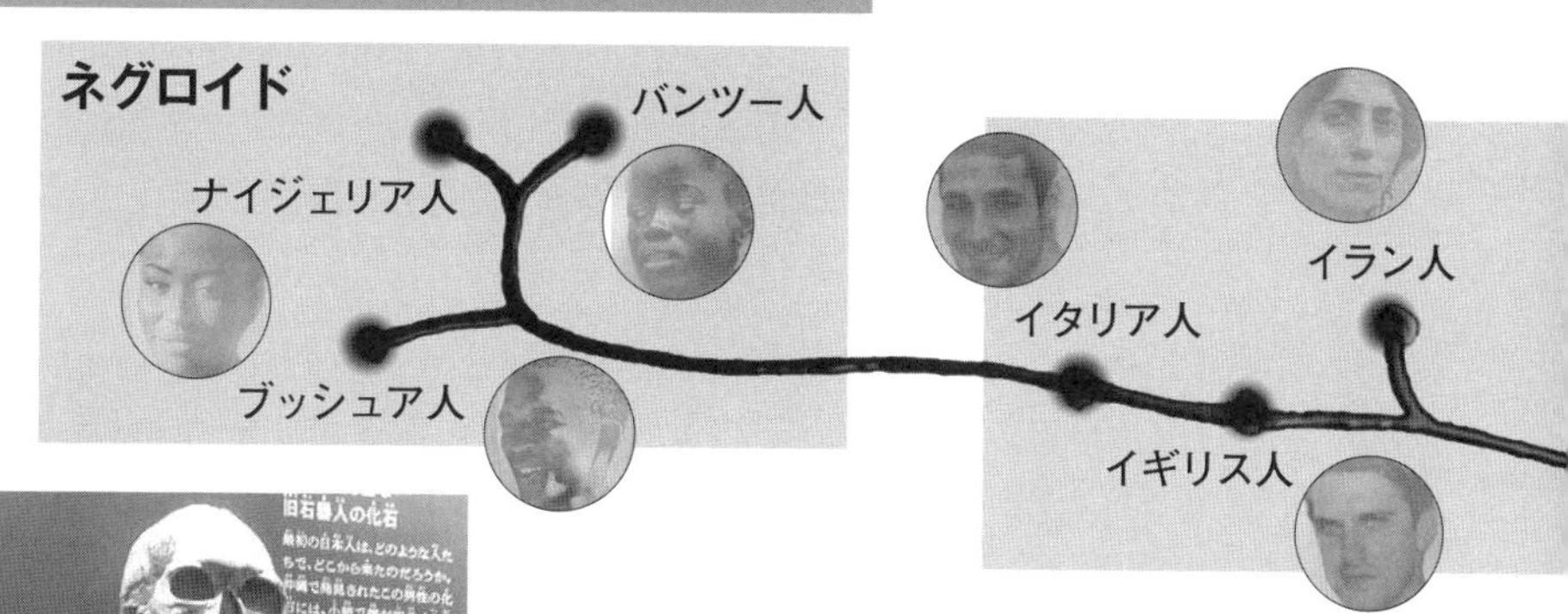

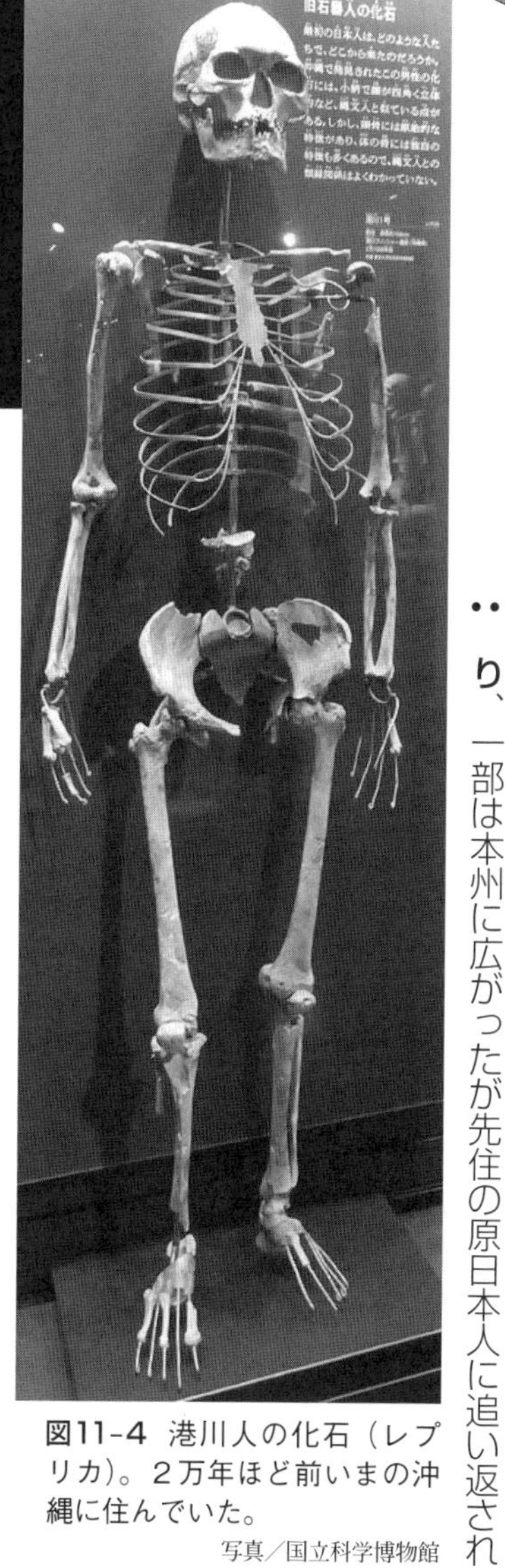
図11-4　港川人の化石（レプリカ）。２万年ほど前いまの沖縄に住んでいた。
写真／国立科学博物館

接近していた。これらは**地質学的な見解**である。

20世紀後半、そこに**ひとつの新説が登場**した。それは、このような地勢が広がっていた3万5000年ほど前、いまのインドネシアなどの南方地域から琉球に到達した種族が現れ、彼らが琉球人・日本人の祖先（日本祖人＝原日本人。101ページ図11-6上）になったというものだ。実際に1970年には**沖縄で全身骨格化石（港川人。図11-4）が発見された**が、後にこれは琉球人の祖先ではなく南方のアボリジニに近いとされた。アボリジニはいまのオーストラリア先住民につながる古い種族である。

　時代が下って1万5000年前になると、今度はシベリアから**北海道に南下してきた種族がアイヌの祖先となり**、一部は本州に広がったが先住の原日本人に追い返され

図11-5 ➡アイヌは北方から北海道に流入して先住民になったと見られ、遺伝的にはモンゴロイド（蒙古系）とされている。

写真／Ainu:Spirit of a Northern People

た、または一部は交雑したとの説が登場した。つまり日本民族は、アイヌ（**図11-5**）と原日本人と琉球人の3つの起源をもつことになる。

これらの仮説は**どれも個々の研究者の私見**であり、それなりの説得力はあるが物理的証拠が不足する。とりわけ原日本人とは誰かについては混乱している。いろいろな仮説はあるが、深入りしても答えはない（後述）。

遺伝子DNAが示す縄文人と弥生人

こうした多様な仮説を総合すると、少なくとも1万5000年前には相当数の古代日本人が日本列島で生きていたことになる。したがって話はここから始まる。

研究者たちの考える**古代日本人****は「縄文人」と「弥生人」に2分される。**縄文人は原日本人の流れをくむ1万5000年前~3000年前の〝最初期の日本人〟で、採集経済で生きていた。他方の弥生人は、縄文時代末~西暦300年頃の、稲作（水田農法）を生業とした新しい集団とされている（96ページ**図11-1、図11-6中、下**）。

これらの時代は、**世界史的に見ると石器時代後期**に重なる。彼らの存在証拠の多くは、人骨化石、米、竪穴住居や集落の跡、土器のかけらや埴輪、鉄器などというものだ。とりわけ弥生時代については多数の遺跡や遺物が発見・発掘されている。

こうした証拠物件から推測するかぎり、少なくとも弥生人の一部は、朝鮮半島を通って、すでに狭い海峡で大陸から隔てられていた日本列島に渡来した北方中国系か朝鮮系の人々と見られている。彼らとともに稲作やウマも渡来しており、もともと西日本に住んでいた（起源不確実な）縄文人と交雑したかもしれない——これがいわば20世紀の日本人起源説である。

だが近年、発掘された当時の人骨化石などが科学的手法にかけられ、そこに新しい見方をもたらしつつある。**科学**

的とは遺伝子DNAの解析、つまり「ゲノム解読」（72ページ★5）である。DNAはきわめて厳密かつ正直であり、そこに研究者の主観や思想傾向が入り込む余地はあまりない（まったくないわけではないが）。当時の地層から発掘された人骨のDNAが〝何かを物語っている〟なら、それはかなり信頼性の高い物理的証拠となる。

メスの遺伝子とオスの遺伝子の系譜

ここで用いられる**遺伝子の解析は、2つの手法で有史以前の祖先日本人に迫ろうとするもの**だ。

第1は**「ミトコンドリアDNA」の追跡**である。細胞内の核には遺伝子DNAの主役がおさまっているが、核の外にあるミトコンドリア——何万個もある——の内部にもDNAがある（102ページ**図11-7**）。しかし新しい個体（生命）が発生する最初の段階、すなわち受精卵の内部では精子のミトコンドリアは消滅してしまい、卵子のミトコンドリアしか残らない。そのため**ミトコンドリアでは、母親のDNAのみが子に伝わる「母系遺伝（母性遺伝）」となっている。**

第2は性を決定する**染色体（性染色体：Y染色体）を追跡するもの**だ。これはいま見たミトコンドリアDNAとは対照的に、もっぱら**オス（父親）の遺伝形質を子に伝えるルート**である。メスはY染色体をもっていないので、祖先探しにはいっそう好都合である。

これら2つのルートは親から子へ、子から孫へ、孫からひ孫へと、**脇道にそれることなく続いていく。何百世代、何千世代にもわたってである。**たとえばミトコンドリアDNAの手法で母系遺伝のルーツを追う場合、いま生きてい

日本祖人

縄文人

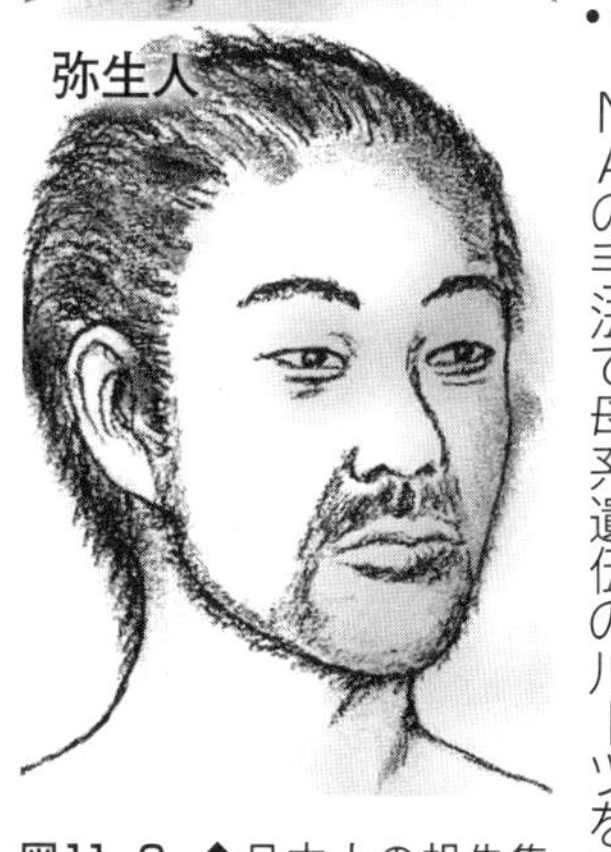

図11-6 ⬆日本人の祖先集団。北方と南方から流入した人々が原日本人（日本祖人）となり、その子孫が縄文人を形成、その後大陸から渡来した人々が縄文人と混交して弥生人となった。図／十里木トラリ

図11-7 ミトコンドリアDNA

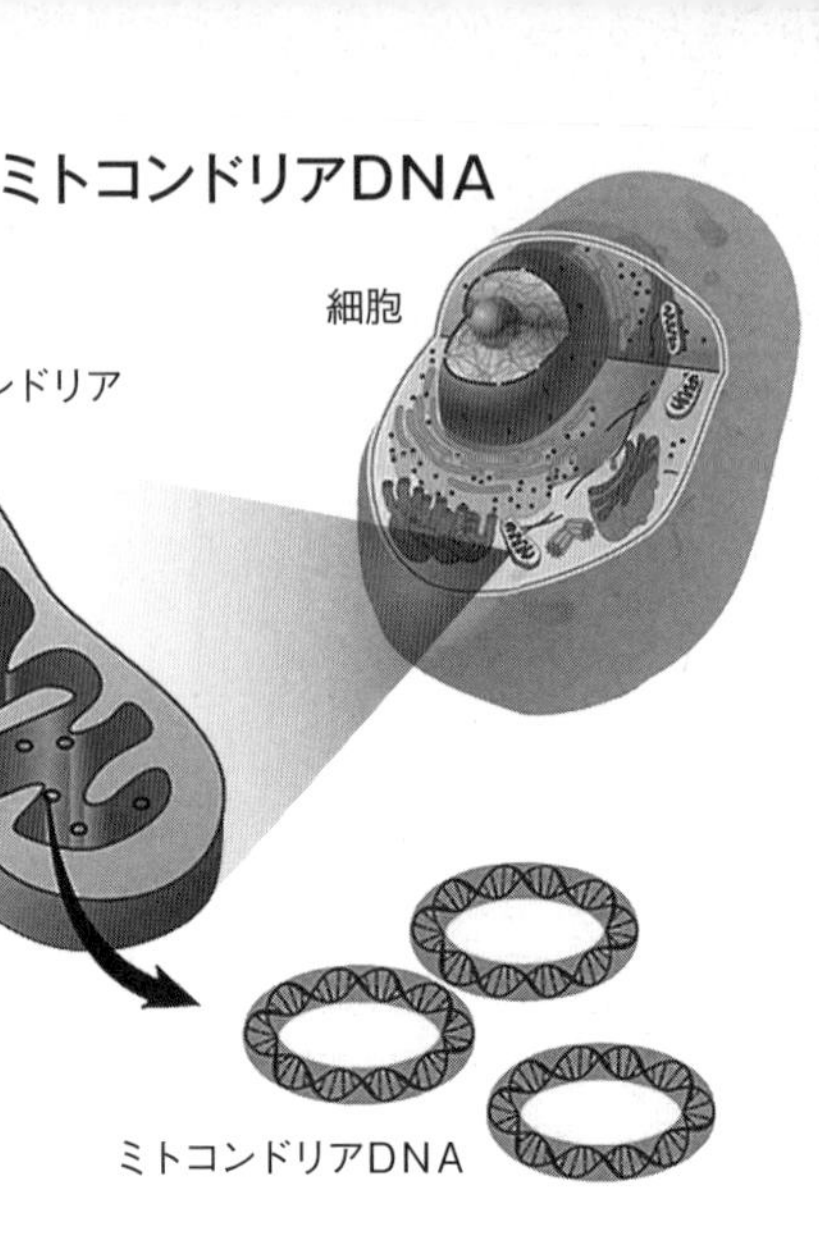

⬆細胞内ミトコンドリアDNAは、「母系遺伝」によってはるか太古の祖先を正確に追跡できる。

図／National Human Genome Research Institute

るある100人のそのDNAの特徴が5万年前の女性（化石A）からみつかったミトコンドリアDNAと同じだったなら、**化石Aの女性は現存の100人全員の共通祖先**ということになる。

この手法を用いれば、はるか太古の祖先の特徴も見当がつき、たとえば次のような日本人起源図が描かれる。

まず、大陸から日本列島に〝移民〟ないし〝漂流民〟がたどり着いたのは弥生時代だけの出来事ではない。より古い縄文時代にすでに、おもにアジア大陸から渡来人（北方中国系？）がやってきていた。この渡来人たちは、遺伝子の中に同じ特徴のY染色体をもっている。彼らは日本列島に渡来した後、何千年かを経て縄文時代後期には関東地方以北まで広がり、先住者の原縄文人（原日本人）と交雑した。その後、弥生時代になって、朝鮮半島から新たな渡来人が侵入してきた――

これは、**分子人類学者篠田謙一**（国立科学博物館）らが、縄文人や周辺国の古代人の人骨化石の遺伝子DNAを比較解析して、2000年代はじめに描き出したおおざっぱな人類学マップである。これで物事が確定したわけではないが、少なくとも1万年ほど前の縄文時代に中国大陸から日本に渡来した種族が、初期の稲作などの農耕技術を持ち込んだらしいと思わせる。

ほかにも、読者が受け入れるか否かは別として、**父系遺伝で見ると日本人の54%、母系遺伝では66%が中国大陸と朝鮮半島に由来するとの分析もある。**

Y染色体による別の推定では、**中央アジア？で生きていた種族が3万7000～3万8000年前にはじめて日本列島に到達し、いまの日本人男性の35%の直接の祖先になったともいう。**さらに別の研究では「二重構造論」が語られる。つまり**縄文人は南方からの、弥生人は朝鮮半島から**

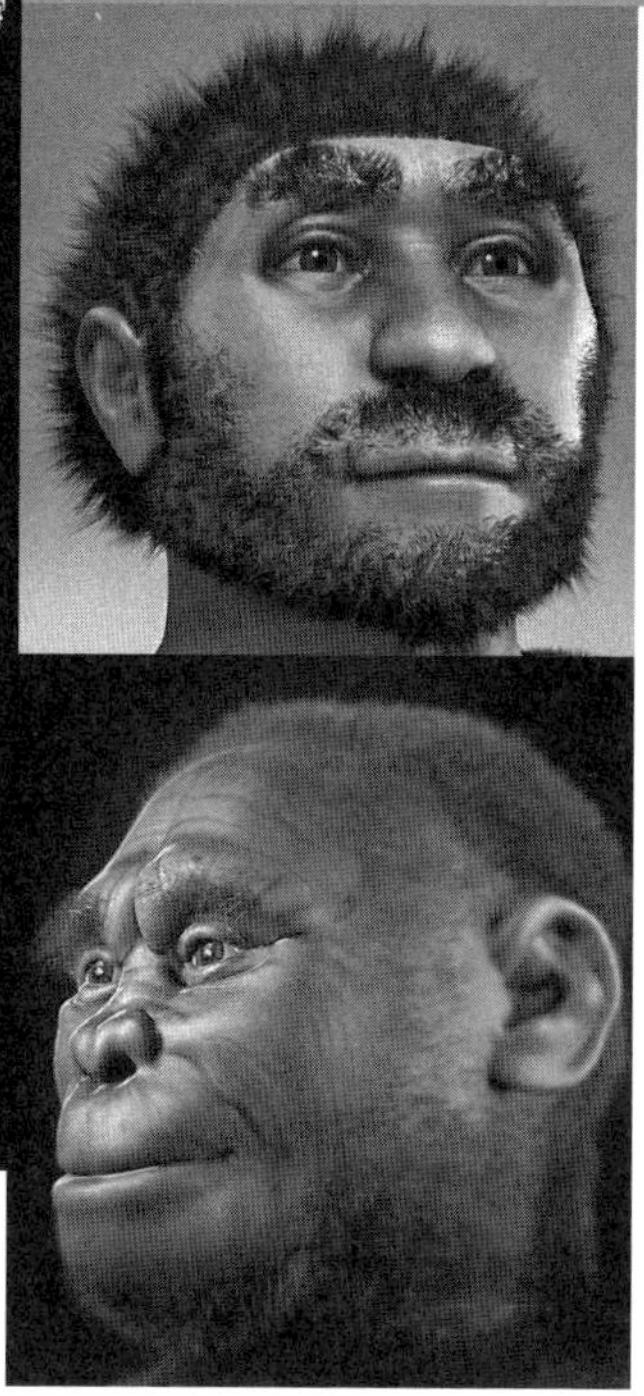

図11-8 ⬅上・北京原人の想像図。写真／Cicero Moraes
下・インドネシアのフローレス島で見つかった原人“ホビット”（女）の復元模型。写真／Cicero Moraes

の移住者だというものだ。

いずれにしても、きわめて限られた化石や骨格の特徴から導いたにしては妙に数字が細かったり逆に大づかみだったりする。それに、縄文時代以前には日本列島にはだれもおらず、突然南方か朝鮮半島から移住者がやってきて定住したかのようにも聞こえる。

現在の世界の研究者たちのおおむねの総意は、**「すべての現代人の共通祖先は20万年前にアフリカで生きていた女のホモ・サピエンス（〝イブ〟と呼ばれたりする）である」**というものだ。これもひとつの極論ではあるが、ここでは一応、アフリカの人類の祖先がいつどうやって原日本人になったかを見ておくことにする。

日本人を地質学的な過去で見る

すでに見たように、地質年代によれば、縄文時代の始まりよりはるか前の1000万年前頃、日本列島はアジア大陸の一部であった。北海道はその北側で、本州西部と九州は西側で、九州南部と沖縄は南側で、アジア大陸と地続きないし地続き同然であった。

その後、陸地が地球表面をずれ動く**プレートテクトニクス**（49ページ★1参照）**と、周期的に訪れる地球温暖期（間氷期）の海面上昇により、アジア大陸極東部は大陸から完全に切り離された。**完全に海に囲まれた日本列島の誕生である。縄文時代の数千年以上前のことだ。

日本列島が大陸とつながっていた時代、そこにはアジア大陸で生息していたあらゆる動植物も生きていたはずだ。日本列島で6500万年前に地球上から消え去った恐竜の化石が頻繁にみつかるのは、こうした歴史ゆえである。日本人の真の起源を求めるなら、こうした地質年代史に立たなければ説得力をもち得ない。

さらに時代を下ると、いまから20万年ほど前にアフリカで霊長類の一種――さきほどの〝イブ〟――から進化した新人類(ホモ・サピエンス)の一部は、5万~6万年前、過酷な生存環境を抜け出して生き延びるためアフリカ大陸から外の世界へと移動しはじめた。

彼らは行く先々でさまざまな旧人類に出合った。中央アジアや西アジア、ヨーロッパなどで何十万年も前から生きてきたネアンデルタール人、インドネシア方面のジャワ原人やアジア大陸東部の北京原人(103ページ**図11-8上**)などだ(後の2種族は当時すでに絶滅していたとの説が主流。21世紀はじめにインドネシアのフローレス島で身長1mほどの種族の化石がみつかったが、これはジャワ原人の小型化亜種か別種の原人ホモ・フローレシエンシスとみられている。**図11-8下**)。

また新参のホモ・サピエンスは途中で出合った古い種族と混交したとする説もある。

ともあれアフリカからの新人類の移住者の子孫は、ユーラシア大陸では北方(中国、シベリア方面)と南方(インド亜大陸)に別れ、南方へ向かった者たちはそこからさらに東南アジアにたどり着いた。その間に彼らの外観は異質な自然環境に適応した姿へと変化した。そして太平洋に達した人々の中から、陸続きないしは狭い海を渡って日本にやって来る者がいた。**北方からは北海道へ、南方からはフィリピンや台湾、琉球(沖縄)を通過して本州へ、朝鮮半島からは九州北部や中部地方へ、それも時代を隔てて何度もである。**

こうして日本列島にはさまざまな方向からさまざまな特徴をもつ人々がやってきて住み着き、一部は互いに交雑し、原日本人を形成していった。いまでもなお、西日本には朝鮮半島を通って縄文時代に渡来した中国大陸系(縄文顔)や、弥生時代に移住してきた朝鮮半島系(弥生顔)の特徴をもつ人々が多く見られ、北海道にはアイヌの、東日本には多様な人々の特徴を融合した人々が見られる――

こうして見ると、**原初の日本人は〝大和民族〟と呼ぶような固定された民族集団からは程遠い**。むしろ、多様化したい**くつもの種族が地学的必然によって日本列島に再集結し、そこで〝新日本人〟を形成したように見える**。その意味では現代の日本人は、**世界のどの種族・民族よりも複雑な過去史を秘めた遺伝子集団**と言わねばならない。それをもし大和民族として再定義するなら、さしたる異論は出ないのではなかろうか。●

●パート12 知性の始まり

人間の知性とAIの知能

〝知的な宇宙人〟との会話

「宇宙人と話すにはどうすればよいか?」

この問いに答えるのは誰にとっても容易ではない。そのため研究者たちは、宇宙人とコミュニケーションする方法について真剣に議論している。ここでいう宇宙人とは、少し専門的に言うと「**地球外生命体**」ないし「**地球外知的生命体**」のことである。

高度な知性をもった宇宙人とわれわれ地球人が、共通言語を介さずに意思疎通する最良の、すなわちどちらにも通じる最大公約数的な方法——それはおそらく「**素数**」を使うというものだ。数字は言語と同様、知的な文明が発達するうえで不可欠である。実際、地球上のどんな人間集団も数字を用いている。数字が言語を超えた概念であり、生活上の基本ツールだからであろう。

ある宇宙人がわれわれ地球人と電波などの電磁波を用いて交信しようとしているなら、彼らはわれわれと同等かそれ以上の科学技術力をもっていることになる。とすれば、彼らは数学を用いていることになる。数学なしに電磁波を利用することはできないからだ。

素数とは1およびそれ自身の数以外では割り切れない整数のことで、2、3、5、7、11……と続く。これは数学のイロハである。そこでこれを信号として宇宙空間に送れば、受信したどこか別の宇宙文明人は、その電波が単なる

図／矢沢サイエンスオフィス

ノイズではなく意味のある信号であることを理解する。これに数の数え方などを加えていけば、双方の間で少しずつコミュニケーションが可能になるという。

もちろんこれは、地球以外のどこかの、それも宇宙空間を光速で進む電波が現実的時間内に届く距離にある惑星に知的生命体が存在すればの話である（パート14・宇宙文明圏の始まり参照）。

だが近年、われわれの太陽系の外の星々（恒星）の周囲にも多数の惑星が発見されている。NASAによればその数は2018年までに数百個に達し、そのうち10個以上は、われわれのような地球型生命が誕生し生存できる条件をそなえていると見られている（51ページコラム参照）。多くの科学者の考えるところでは、そのような**惑星に生命が誕生し、十分な時間があればそれは生物進化の道をたどって、いずれ知性をもつようになる**可能性がある。

科学者たちの共通認識は、**地球生命はこの宇宙で特別の存在ではない**というものだ。宇宙では、ただひとつしかないものやただ1回しか起こらない出来事は存在しない。そして、物理や化学の法則は宇宙のどこであっても共通で普遍的である。とすれば、この地球で起こることは他でも起こり得ることになる。地球でのみ起こる特別な出来事を想像するのは非科学的である。

原始的な線虫にも〝脳〟がある

ところで、われわれ人間は**思考の中枢としての脳**をもっている。重さ1300gほどのこの脳が人類文明を生み出す上で中心的役割を果たしたとは誰もが考えることだ。ではその脳はどのようにして生まれたのか？

人間の脳は**神経細胞（ニューロン）**の集合体である。そして、体長1㎜の線虫（**C・エレガンス**★1。図12-2）もま

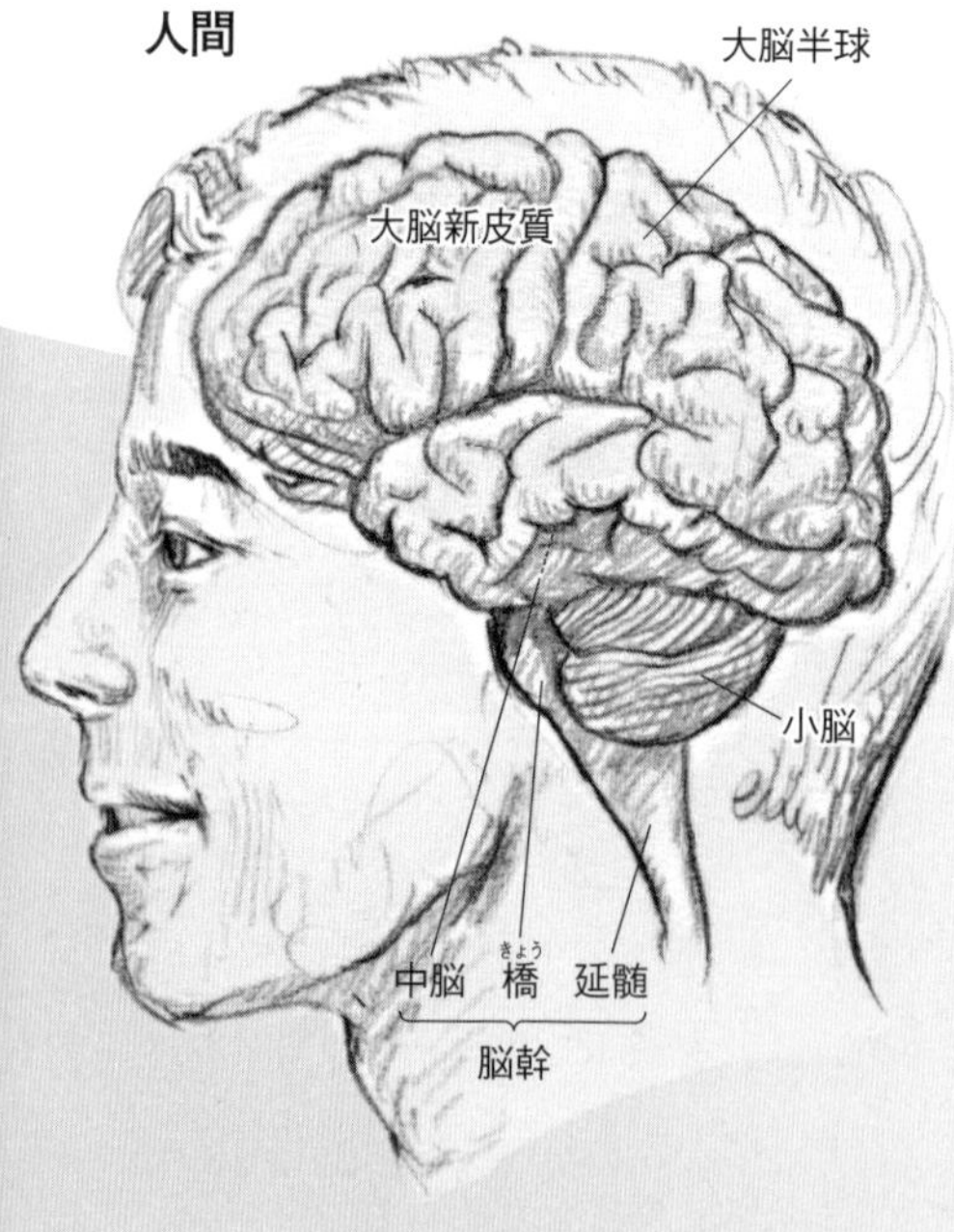

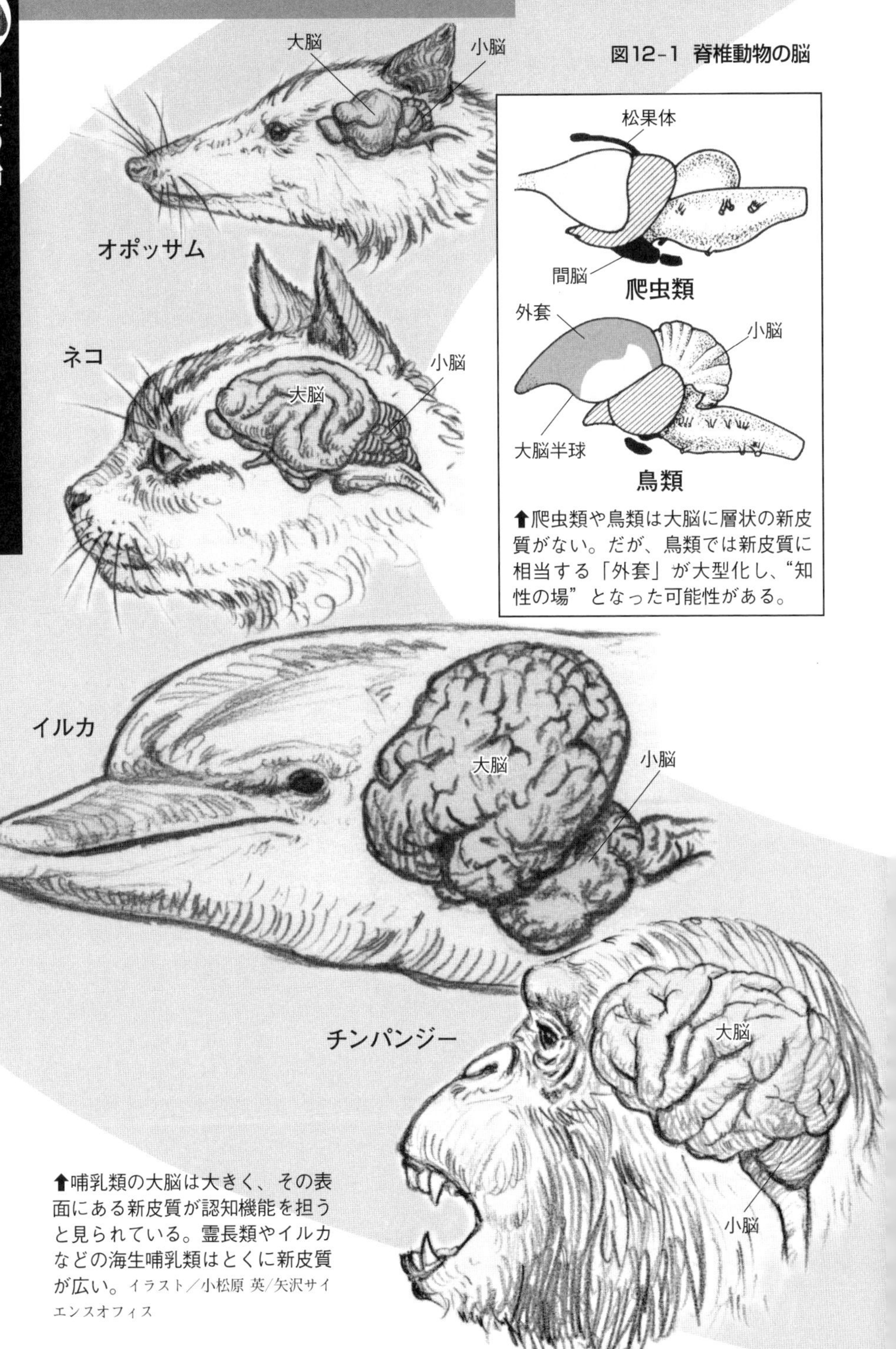

図12-1 脊椎動物の脳

⬆爬虫類や鳥類は大脳に層状の新皮質がない。だが、鳥類では新皮質に相当する「外套」が大型化し、“知性の場”となった可能性がある。

⬆哺乳類の大脳は大きく、その表面にある新皮質が認知機能を担うと見られている。霊長類やイルカなどの海生哺乳類はとくに新皮質が広い。イラスト／小松原 英／矢沢サイエンスオフィス

たニューロンをもっている。この非常に小さな生物の体はわずか959個の細胞でできているが、そのうちの302個、つまり体をつくる全細胞の3分の1がニューロンだ。これらのニューロンは線虫の頭部に密集し、複雑なネットワークをなしている。**線虫のニューロンの集合体はより複雑な生物の脳の原点**といえるかもしれない。

このニューロンは外部のにおい物質や温度などを感じとると電気的に興奮し、それを化学信号（**神経伝達物質**★2）として他のニューロンに伝える（**図12-3**）。他のニューロンはその情報をもとに体の各部に運動の指令を出す。こうして線虫は栄養源に向かったり、酸などの危険物質から遠ざかったりする。**ニューロンのこのしくみは、人間のそれと基本的に変わらない。**

だが**人間の脳ははるかに大きく複雑**で、その構造は3つに大別される。呼吸や心臓の動きなどの基本的な生命活動を支配する「**脳幹**」、体の動きを調整する「**小脳**」、それに**知性の場である「大脳」**である（107ページ図12-1）。

脳のこうした構造はすでに5億年前頃にはその原形ができていたらしい。**ヤツメウナギ**（**図12-4**）などの原始的な脊椎動物の脳はすでに哺乳類と同じくいくつかの領域に

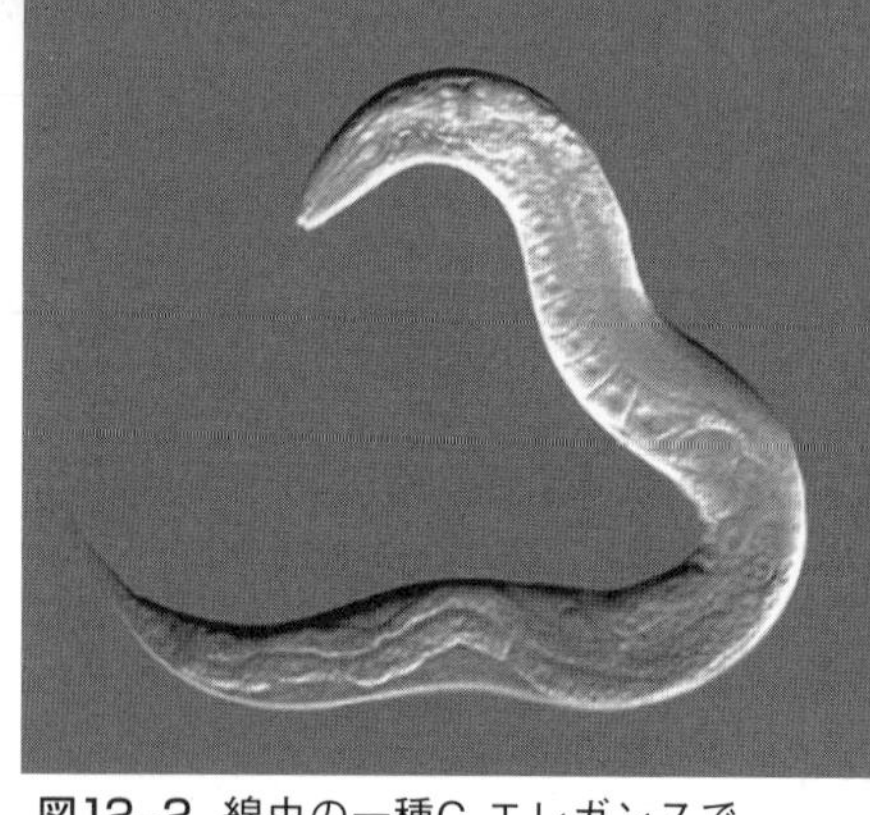

図12-2 線虫の一種C.エレガンスでは細胞全体の1/3近くがニューロン。
写真／Bob Goldstein, UNC Chapel Hill

図12-3
人間のニューロン

細胞体
グリア細胞
シナプス
軸索（じくさく）
樹状突起

➡ニューロンが興奮するとその信号は軸索を通り、末端に達する。その後、信号はシナプスを介して他のニューロンの細胞体や樹状突起に伝わる。図／矢沢サイエンスオフィス

★1 C・エレガンス 土中に住む透明な線虫カエノラブディティス・エレガンス。発生後、全細胞がどう変化するかわかっており、実験動物として活用される。本文は雌雄同体の場合。オスは全細胞1031個、ニューロン385個。

★2 神経伝達物質 ニューロンがシナプスで放出する化学物質。ドーパミン、セロトニンなど200種類以上が発見されている。各神経伝達物質を使用するニューロンは決まっている。

★3 ディープラーニング（深層学習） 人間の認知機能をまねるためのAIの学習システムのひとつ。

分かれ、大脳も出現する。ただし圧倒的に大きいのは、いまだ生命維持に不可欠の脳幹である。

ここから進化して爬虫類になると大脳はやや大きくなって**「外套」**（哺乳類の**「新皮質」**に相当）が広がる。さらに哺乳類になると、大脳は著しく大型化すると同時に、表面積の増えた新皮質を収納するために〝しわ〟が生じる。ちなみに、同じ哺乳類のクジラやイルカの脳は人間のそれ以上に大きい。

人間の**大脳は数百億個のニューロン**からなる。その密度は1立方cmあたり1000万個。そして**個々のニューロンは他の数千〜1万のニューロンと接続（シナプス）**をつくり、全体としてきわめて複雑なネットワークをつくっている。1個のニューロンが発火（電気的興奮）すると、それは他の数千個のニューロンを発火させる。この過程を3回くり返すと、その興奮は瞬時に大脳皮質の広い領域に広がる。こうしたきわめて**複雑な興奮のパターンは、脳の知的活動を表している**。

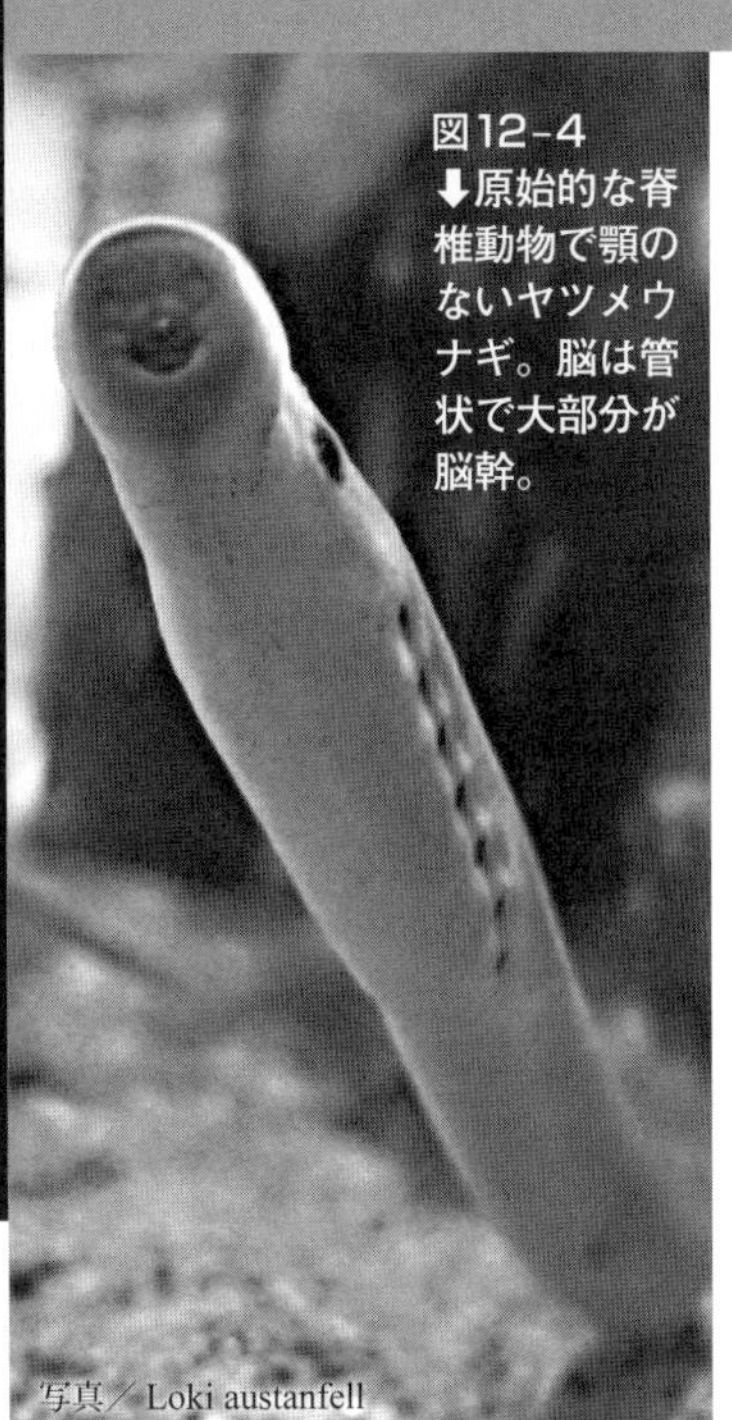

図12-4
⬇原始的な脊椎動物で顎のないヤツメウナギ。脳は管状で大部分が脳幹。

写真／Loki austanfell

ここで疑問が生じる。興奮の伝わり方が複雑なら、それはすなわち知性のはたらきなのか？

AIは意識をもつか？

いま、**AI（人工知能）**が社会のあらゆる領域に進出している。従来のようなAI搭載型の産業ロボットや家電製品だけではない。AIは空港や大型店舗では監視カメラで不審者を見分け、先進的なホテルのフロントでは〝コンシェルジュ〟として客の要求に応じている。囲碁や将棋用に開発されたAIは一流棋士と対戦して全戦全勝である。スマートフォンには会話型AIが搭載され、単純な質問に答えたり、「眠れない」と言えば「電気羊を数えたらどう？」などと提案もする。

AIの基本原理は、**大量の情報を統計処理し、そこから確率によって答えを導き出す**というものだ。いまはやりの

「ディープラーニング（深層学習★3）」も、たとえばリンゴの写真を大量スキャンして統計的に処理することでリンゴの特徴をつかむ。AIがやっているのは脳のニューロンの接続に似たネットワーク処理であり、新情報が加わるたびにネットワークは変化する。

ではAIに〝知性〟があるかと問えば、多くの人が「否」と答えるだろう。たしかにAIは一見して知性があるかのようにふるまう。東京大学を目指すべく開発されたAI「東ロボくん」は大学入試センターの模擬試験で偏差値57を記録した。だが開発者自身が、この**AIは「問題の中身を理解しているわけではない」**と述べている。この種のAIは単に、莫大なネット情報から関連性が高く適切と見られる語句を拾うだけだ。

そのため、文脈を読みとる問題ではまったく見当はずれの答えを返すし、語順を入れ換えて文章の意味を変えただけでその違いがわからなくなる。情報は右から左へと素通りするだけだ。AIがどれほど改良され、それこそ人間の脳なみに複雑化しても、その原理が現在のAIの延長上にあるかぎり、**AIに〝意識〟が生まれようはずがない**。意識がなければ問題を認識も理解もできず、意識のない機械に知性が宿る道理がない。

知性の定義はむずかしいが、ひとつの基本的特性は「**創造性**」であろう。あるAI研究者の言葉を借りれば、「AIは1を10にも100にもするが、0を1にすることはできない」――**この0を1にする行為こそが、機械であるAIの手の届かない創造性**といえよう。

「言葉を失った人間は人間ではない」

とはいえ、**人間の脳もAIと同様、物質からできたモノ**である。では何が脳に意識を生み出し知性を育てたのか？答えは見つかっていない。

意識はその個体（ヒトや動物）の内的経験である。したがって、たとえ意識の状態をデジタル画像や脳波で映し出しても、それが意識の実体かどうかは誰にもわからない。しいて言うなら、意識もまた生物と環境との相互作用の産物であり、**人間の意識が鮮明になった（認知機能が高まった）ことが知性の発達を促した**であろう、と言える程度だ。

知性を発達させたいまひとつの要因として多くの研究者が重視するのが**「言語」、すなわち言葉**である。われわれはふだん言葉でものを考える。たとえ無言のときでも、脳

写真／Gabinete de Prensa del Gobierno de Cantabria

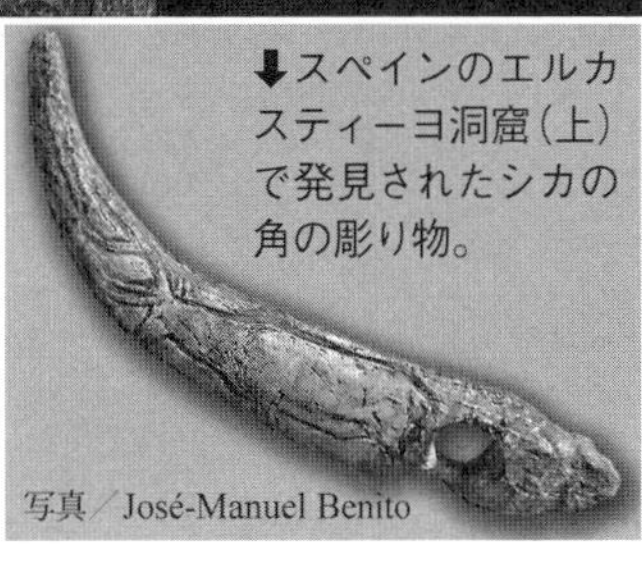
⬇スペインのエルカスティーヨ洞窟（上）で発見されたシカの角の彫り物。
写真／José-Manuel Benito

人類最古の芸術？

古代人も芸術を愛したらしい。ヨーロッパやアジアの洞窟には動物や星座の絵、手形、幾何模様などが残っている。最古の絵画は６万4000年前のもので、一部はネアンデルタール人作といわれる。

内で言葉を使わなければ複雑なことを考えることは困難だ。ぼうっとした形のない思考とか、絵や写真のような映像を頭に浮かべる思考もあり得るが、言葉がなければ明確で筋道のある物事を考えることはできない。これは自分でちょっと試みてみればすぐにわかるはずだ。

言語は、他人の考えを理解したり自分の考えを他人に伝える強力で便利な手段である。その情報伝達力は、他の動物たちが意思疎通のために用いる警戒音や威嚇音、求愛のさえずりなどの域を大きく超えている。

マサチューセッツ工科大学教授で世界的に知られる言語学者**ノーム・チョムスキー**は、「**言語は人間存在の核であり、言語を失った人間はもはや人間ではない**」とまで述べている。

チョムスキーは**言語を体の〝特殊な器官〟**ととらえる。言語は、体内で〝言語遺伝子〟が発現したときにその初期状態が生じ、他の感覚系や運動系の器官と連携しながら進化していく。言語形成の能力は、生まれつき耳が聞こえず言葉を学んだことがなくても、人間に生まれつきそなわっているというのだ。実際、南米ニカラグアで1970年代、**生後いちども教育を受けたことのない聴覚障害児たちを集**

めたところ、彼らは何の訓練もなしに独自の手話を生み出した。

　また2001年にはイギリスの研究者たちが、言語と深く関係する遺伝子を発見した。これは「**フォックスP2（FOXP2）遺伝子**★4」と呼ばれ、この遺伝子に異常があると、口や舌などの筋肉のはたらきが協調しなくなって言語を支配する脳が発達せず、言語障害が生じると考えられた。

　ちなみにこの遺伝子は他の多くの動物にも共通だが、人間のそれは他の動物のものとはわずかに違っているという。この違いが人間の言語能力のカギかもしれない。

古代人はいつから言葉をしゃべったのか？

　人間がいつ言葉を使い始めたかはわかっていない。太古の化石や遺跡に音声会話の痕跡は残らないからだ。しかしひとつのヒントが**南アフリカの海岸に面するブロンボス洞窟**（ケープタウンの東300㎞）にあった。つい先年、ノルウェーの考古学者がここで**7万7000年前の粘土板に描かれた幾何学模様**を発見したが、これは知られるかぎり人間が描いた最古の模様である。

　この洞窟や周辺の洞窟では、同時代の遺物として油や粘土、炭などをかき混ぜてつくった顔料、貝に穴を開けたビーズ、柄つきの骨の道具も発見された。石器も多様化し、材料を加熱圧縮して薄片をはがすという高度な技術が用いられていた。どれも**抽象思考や芸術的センスの萌芽**を示していると見られた。

　言語学者の研究では、**言葉を話す人間集団の発祥の地はアフリカ**であり、ここから世界各地に広がった彼らの子孫はすでに言葉を話すようになっていたと見られている。とすると、南アフリカの洞窟人が複雑な言葉を話しはじめた最初の地球生物だったかもしれない。単なる想像の域を出ないものの。

　彼らが残した遺物が示す抽象概念や高度な技術はすでに知性の現れであり、彼らの本性は現代人と何ら変わらなかったように思われる。むしろ現代社会でさしたる生物学的困難なく生きる人間より、彼らの方が日々生存のために創造性を求められたであろう。**知性の本質は現代的な科学技術の力などとはまったく別のもの**だからだ。●

★4　フォックスP2遺伝子　脊椎動物に広く存在する遺伝子。ホモ・サピエンスやネアンデルタール人は、DNA上の2つの塩基がチンパンジーと異なる。マウスの実験ではこの遺伝子をヒト型に変異させると、脳の長期記憶が発達したという。また鳥がさえずりを覚える際この遺伝子は活性化する。

●後篇

“第2の人類”と宇宙文明圏が誕生する

●パート13

〝第2人類〟の始まり
人類の進化か、それとも退化？

カズオ・イシグロの小説の主人公たち

2017年にノーベル文学賞を受賞したカズオ・イシグロの小説に『わたしを離さないで』（原題『Never Let Me Go』／早川書房）がある。

登場人物は、遺伝子工学の技術〝**ヒューマン・クローニング（人間複製）**〟によって生まれた若者たちだ。彼らは最初から**生殖能力を除去されて誕生し**（生産され）、その一生は自らの臓器を提供して誰かの命を救うためのみである。つまり「**ドナー（臓器提供者）**」としての役割とそれを終えるまでの命しか与えられていない。

この本を読んだ読者は、これは許しがたい非人

図13-1 ➡いまや遺伝子DNAは、紙切り細工のように切ったり貼ったりできる時代となった。
図／Ciencias Españolas KoS

図13-2 ジーンリッチとジーンプア

⬇現在、遺伝子操作はすでに日常化しつつある。近い将来遺伝子操作によって遺伝的にすぐれた人間“ジーンリッチ”が大量に生まれると、彼らはふつうの人間“ジーンプア”とは別の社会集団を形成し、ふつうの人間を支配する時代が来るかもしれない。

図／矢沢サイエンスオフィス

間的行為だと思うかもしれない。自分自身をそのドナー人間の宿命と重ねてみれば当然のことだ。

だが作者がここで描いている小世界はまったくのサイエンス・フィクションでもハリウッドのホラー映画でもなく、ほぼ現実である。というのも、すでに**ブタの体内で人間の臓器をつくらせ、それを患者に移植することが当たり前の医療になっている**からだ。さしあたり移植に人間の臓器を用いることが厄介なら、まずブタにその役目をやらせればよい――

そこには、人間の医療の名のもとならブタ（知能が非常に高い）をどのように利用したり殺したりしても気にしない人間のエゴや傲慢が丸見えである。ロシアやニュージーランドではすでに何百例ものブタを犠牲にした移植が報告され、**2019年には日本でも始まるらしい**。イシグロの作品はこうした行為を人間社会の陰鬱な日常として描いている。

人間のドナー（臓器提供者）から病気の人間へ、ブタから人間へと臓器移植が頻繁に行われる時代がすでに現実なら、**明日の人間世界**はどうなるのか？

事の始まりは、**遺伝子操作、遺伝子組み換え、ゲノム編集**[★1]**など呼ばれる生命科学の出現**である。これらは、30数億年前に原初の生物が自ら生み出した**遺伝子の本体（DNA）**を、人間が紙切り細工のごとく切ったり貼ったりする研究や技術のことだ（**図13－1**）。研究者たちはそのことの行き着く先をさして考えることなく、血道をあげて先を争っている。たとえ医療とか食糧増産とかの名分を掲げても、この研究は人間の好奇心や名声欲や金銭欲に深く根づいている。

ちなみに、遺伝子を操作して生み出された生物は「GMO」と呼ばれる。**遺伝子組み換え生物（Genetically Modified Organism）**の略だ。

すでに2018年末、中国・南方科技大学のフー・ジェンクイ（賀建奎）という研究者がこの技術を使って受精卵を〝編集〟し、双子を誕生させたと報じられた。当初事実関係に疑念をもたれたものの、2019年になって事実が確認されたばかりか、彼はこの双子の事例以外に別の女性もゲノム編集した受精卵で出産したと公表した。なぜ国際的な批判を承知で実行したのか？　彼は答えている――「名声と経済的利益のため」。他の研究者なら生命医学への貢献などと言うところを、少なくとも彼は露骨なまでに正直だ。世界には彼以前に同じことを実行しながら公表していないケースがありそうである。

彼がこの技術をその女性に用いた目的は、エイズウイルスに感染しないように遺伝子を改変するというものだ。だが**遺伝子の改変（ゲノム編集）**は他のあらゆる目的のために行われることが自明である。病気の予防や治療はその入り口でしかない。

この技術の行き着く先はどこか？

それはとうに明らかだ。**人間の〝改良〟である。**多くの親が、自分の子どもを病気にかかりにくくし、外見をよくし（目鼻立ちをすっきりさせ背を高くし等々）、すぐれた頭脳の

図13－3 ➡病害ウイルスのために全滅しかかったハワイのパパイアは遺伝子操作で耐ウイルス性をもち、生き延びることになった。

写真／US Gov.

★1　ゲノム編集
遺伝子操作技術のひとつ。酵素を使ってゲノムの標的となる場所を切断し、目的の遺伝子を導入もしくは破壊する。以前の遺伝子組み換えでは特定の場所を狙うことができないケースもあり、効率も悪かったが、ゲノム編集では高い効率で遺伝子操作が可能。

図13-4 ⬆遺伝子操作で自然種（手前）の2倍以上にも成長した巨大サケ（GMOサーモン）。 写真／J LEVIN W

図13-5 ⬅突然変異で巨大な肉体をもって生まれた牛（ベルジャンブルー）。胎児も巨大なため自然分娩はできない。 写真／agriflanders

持ち主にしたいと願う。つまり、あまりすぐれていない自分よりずっとましな子どもを産みたいというものだ。

この願望や欲望を受けて、**農作物や家畜、魚類などの世界では遺伝子をいじることは常識となっている**。アメリカや中国、ブラジルなどで生産されるトウモロコシや大豆は、遺伝子組み換えによって低温や乾燥に強く、やせた土地でも成育し、害虫への抵抗力の強いものがつくられ、同様に鉄分の多いコメとか涙の出ないタマネギなども生産されている。読者がいくら生産地をチェックして食品を買っても、これらの食品はあらゆるルートから読者の口に入っている。

動物も、いまや遺伝子組み換えを利用して生み出されたものたちが急増している。ウシやブタ、ヒツジなどの家畜は**自然種の2倍もの巨大な体に肥大し、もっとも肥大したところで食肉にされる**。他方で、イヌほどに小型化したウマ、成長しても体が子ネコのときのままのネコ、ライオンとトラやイヌとキツネザルの**交雑動物などが面白半分に生み出されてもいる**（こうした動物たちはほとんどが病的欠陥をかかえて苦しみ、長く生きることはできない）。

ベルギーのベルジャンブルーと呼ばれるウシは突然変異で筋肉が異常成長するものだが、その遺伝的異常を逆に利用されて、食肉の生産効率をあげることに利用されている（**図13-5**）。

母ウシは巨大化した**子ウシを自然分娩できないためすべて帝王切開で生み、用がすめば若くして殺処分される。**突然変異を遺伝子組み換えの代わりに利用しているのだ。魚も同様で、短期間で巨大化する**モンスター的サケ**が切り身にされて市場で売られている（117ページ図13-4）。こうした動物たちの扱いを見るとわかるように、人間は彼らを自分と同じ命あるものとしてではなく、単なる食糧やペットや興味本位の対象としか見ていない。

　われわれ人間もこうした動植物とまったく同じ生体機能によって生きている地球生物である。そのため、いまや世界に何千人、何万人もいる**遺伝子操作の技術をもつ者**が、前記の中国の研究者と同様、人間の遺伝子をいじって意図する人間を誕生させることはむずかしくない。求めるものはつねに、病気にかかりにくい、目鼻立ちが整っている、背が高い、筋骨たくましい、一生禿げない、知能が高い――そんなところだ。

図13-6　⬆世界初のクローン動物「ドリー」。6歳で病気になり安楽死させられた。

写真／Toni Barros

　生まれ来る人間に医療の名のもとにこうした手を加えることは生命の冒涜であり、〝あるべき人間の道（倫理）〟に背く悪魔的所業だと見ることは容易である。だからこそ、人間に対する遺伝子操作や誰かのコピーである〝クローン人間〟の作出は、WHO（世界保健機構）などによって規制されてもいる。

　しかし世界にそれを実行する手段をもつ者がおり、他方にその技術で自分の子どもを他人よりすぐれた者にしたいと望む（かなり経済力が必要だが）者が存在する。この両者の利害が一致したとき、人間の遺伝子操作はこっそりと、ないしはなかば公然と行われることになる。

図13-7　⬆近い将来、遺伝子操作によって“第2人類（ジーンリッチ）”が大量に出現し、ふつうの人間（ジーンプア）”とは別の社会階級を形成すると予言するプリンストン大学の生物学者リー・シルバー教授。写真／Peter Catalano／矢沢サイエンスオフィス

〝第2人類〟の時代がくる

　この問題は20世紀末にはすでに現実となっていた。その象徴

✴Column✴

「優生学」がよみがえる

　優生学とは「**よりすぐれた遺伝形質をもつ者を残し、一言で言えば劣等な遺伝子をもつ者は排除すべし**」とする見方である。

　これは野生の動植物にはもともとそなわっている種の保存と進化のしくみだが、これを人間にあてはめる見方は、すでに古代ギリシアの哲学者**プラトン**に始まっている。彼は「理想社会のガーディアン（守護者）は“望ましい男女”が交合するように手配すべし」と言い残した。実際に古代以来、世界中で（日本でも）、誕生時に障害をもって生まれた子どもの“間引き”が広く行われてきた。

　近代になると、この見方は**チャールズ・ダーウィンの進化論**によって科学性を帯び、「**優生学**」という研究分野を生み出した。20世紀前半には優生学はナチスドイツが行ったきわめて大規模な虐殺の根拠とされ、また精神疾患がある者の排除などが世界的に広がった。そのため、第二次世界大戦後、**優生学はダーウィン進化論から生じた科学史的汚点とされ、表向きはタブー視**されてきた。

　だが本稿のテーマである遺伝子操作の現実を見れば、その目的が“より好ましい人間や動物”を生み出そうとする点で、医療を超えた**優生学の21世紀的な復活**であることは誰の目にも明らかである。

的出来事は1997年にイギリスで生み出された**メスのヒツジ「ドリー」**である。ドリーはおそらく世界初の完全なクローン動物であった（6歳で重い肺疾患を発症し安楽死させられた。**図13-6**）。

　この頃、アメリカ、プリンストン大学の生物学者**リー・シルバー**（**図13-7**）が議論を呼ぶことになる本を著した。タイトルは**「リメイキング・イーデン」、つまり「エデンの園を再現する」**というものだ。副題に「遺伝子工学とクローニングがアメリカの家族をつくり変える」と書いてあった（当時筆者らはプリンストン大学でシルバーにインタビューを行い日本で公表した）。

　シルバーの議論は衝撃的である。それは、遺伝子工学が広がって**ふつうよりすぐれた人間としてのいわゆる〝デザイナーベビー〟（デザイナーチャイルドとかジーンリッチなどとも呼ぶ）**が次々に生まれるようになると、いずれ彼らは読者や筆者のようなふつうの人間とは別の社会集団をつくるようになるというのだ（115ページ**図13-2**）。

　彼はデザイナーベビーやクローン人間を生み出す技術を「**リプロジェネティクス（生殖遺伝子工学）**」と呼び、決して否定的な意味で用いてはいない。個人レベルの積極的な**優生学的行為**と位置づけているのだ（優生学については**上コラム**参照）。

冒頭の作家カズオ・イシグロも、シルバーを後追いするように、イギリスの新聞ガーディアンのインタビューでこう述べている――「われわれは、**他人よりすぐれた人間をつくり出せる転換点のすぐ近くにやってきている**のです」

ふつうの人間と生殖できない人々

遺伝子操作は、大自然が何十億年もの時間をかけて無理せずにゆっくりと進化させてきた生物を、人間が人工的かつ瞬時に改変する行為である。この現実を前にしたわれわれは、明日はいったいどんな動物や人間が試験管やシャーレの中から登場させられるのか不安になる。

逃れがたいひとつの未来予測は、遺伝子操作で生まれた〝ふつうよりすぐれた人間〟が社会の中に増加していくことである。外見も知能も並よりすぐれている彼らは（他方で遺伝疾患を抱えている可能性もある）、ふつうの人々とは異なる〝新たな社会階級〟を形成し、彼らの中だけで生殖してさらにすぐれた子孫を生み出す。これをくり返すうちに、彼らはふつうの人々とは異なる人間集団、真の**〝新人類〟または〝第2人類〟**となっていくかもしれない。

あるいは彼らは自らの集団の性染色体を操作し、もはや従来の人間との間で生殖できないようにするかもしれない。ヒトがかつてゴリラやチンパンジーなどの類人猿から枝分かれして別の種になったように、彼らがヒトとは別の種へと分岐する時代の到来である。そこでは**社会上層の役割や仕事はもっぱら第2人類が占有し、下層の仕事や役割がわれわれやその子孫、すなわち第1人類に回ってくる。**

いま世界中の研究者が争って遺伝子組み換えに取り組んでいるとき、社会がその流れにブレーキをかけることは不可能である。これを規制しようとする国際機関のルールや各国の国内法はほとんど無力である。メディアは「倫理的疑問が残されている」などと書くが、そうした観念的基準とは何かについて誰も答えをもってはいない。

遺伝子操作で生まれた子どもの外見がふつうと変わっているわけではなく（見た目がいいかもしれないが）、当事者が公表しないかぎり誰もその子どもがデザイナーベビーか否かを見分けることはできない。すぐれた資質をもっていても先天異常を内包していても、本人さえ確認することはできないであろう。

リー・シルバー教授が予言しカズオ・イシグロがその小説で描き出したように、**デザイナーベビーやクローン人間はまもなく、高波がひたひたと押し寄せるように増えていき**、ついに第2人類を形成するときがくると予想しておくのが現実判断というものであろう。●

●パート14 宇宙文明圏の始まり

技術文明発展の3段階

次々に発見される地球型惑星

1969年、NASAのアポロ計画によって3人のアメリカ人が月の地表に降り立った。**歴史上はじめて人類がおのれの〝ゆりかご〟である地球を脱出し**、宇宙の別の天体に足跡を記したのだ（図14－1）。

こうして3人ずつのチームが前後9回にわたって月に到達し、月を周回飛行したり地表に着陸して歩き回ったりした（他に宇宙船内の火災で3人の飛行士が死亡した事例がある）。その光景は毎回地球へ生中継され、世界中の人々が、人類はついに**「宇宙時代に突入した」と感じた**のであった。

だがその後、**人間の宇宙進出は停滞**している。火星をはじめとする太陽系にさまざまな観測衛星やロボット探査機を送り出したものの、**過去半世紀、生身の人間の太陽系進出は行われていない**。2019年のいま、NASAは火星有人飛行計画を進めているが、その実現は25年後と見られている。読者が十分に若ければその場面にライブで居合わすだろうが、アポロ計画で月面に降り立つ飛行士たちを白黒テレビで見ていた筆者の世代が、火星有人飛行を目撃する可能性は高くない。

人類の本格的な宇宙進出は容易ではない。最大の理由は、地球環境とまったく異なる宇宙の環境に人間を長期間適応させる技術がいま一歩のところにあるためだ。水や食糧の供給、太陽

図14－1 ⬅1969年、人類史上はじめて地球外の天体・月に降り立った3人の飛行士たち。 写真／NASA

放射線の遮蔽、ゼロないし地球の数分の1の重力への対策などだ。しかしこれらは、20世紀半ば以降さまざまな実験で蓄積されつつある技術によって、遠からず乗り越えられるはずである。あとは**人間の意志とそれを支える経済基盤があれば、人類はついに〝地球人から宇宙人へ〟の階段を登り、さらに地球文明は〝宇宙文明〟へと巨大な飛躍を遂げることができる。**

地球で生まれた文明が外宇宙へと広がって宇宙文明を築く――これは昔からさまざまな科学者によって予見され構想されてきた。ハリウッドはこのテーマをくり返し映画化してもいる。

「月面都市」から始まり巨大宇宙文明へ

20世紀の科学者たちは、すぐにも実現できそうなものから目もくらむ巨大スケールのものまで、**さまざまな宇宙文明構想を立案**して記録に残した。それらのうち、**地味ではあるがもっとも堅実な構想**は、第二次世界大戦後にアメリカに渡ったナチスドイツ出身の科学者**クラフト・エーリケ**によるものだ。エーリケはNASAの巨大な打ち上げロケット、アトラス・セントールの2段目を設計したことで宇宙開発史に名を残してもいる（筆者が80年代にサンディエゴの自宅を訪れた3カ月後、彼は白血病で死去した。**図14-2**）。

エーリケの構想は、月面に最初の基地をつくってから70年ほどの年月をかけ、**5段階で「月面都市（セレノポリス。図14-3、4）」を建設する**というものだ。

２０１９年はじめには中国が月の裏側に無人探査機を着陸させており、つい先ごろはイスラエルも月に探査機を送り出した。**中国はアメリカと競争して月を資源探査（核融合燃料ヘリウム3の採掘）や軍事利用の拠点にする計画**と見られる。

いずれにせよ、エーリケの構想を実現できる基礎技術をアメリカ、ロシアそれに中国は手にしており、ヨーロッパ、日本、インドなどもそのための初期的技術がすでに手の届くところにある。**月はいまや地球の裏庭**である。

これに対して途方もなくダイナミックで壮大な構想もある。それは、ソ連（現ロシア）のニコライ・カルダシェフが早くも１９６０年代に提出したもので、「カルダシェフ・スケール」、一般的には「**宇宙文明発展の3段階説**」と呼ばれる。これは、たとえば地球文明がおのれの愚かさ、すなわち全面核戦争や環

図14-2 ←月面都市（セレノポリス）の5段階構想を提案したクラフト・エーリケ博士（右）。写真／矢沢サイエンスオフィス

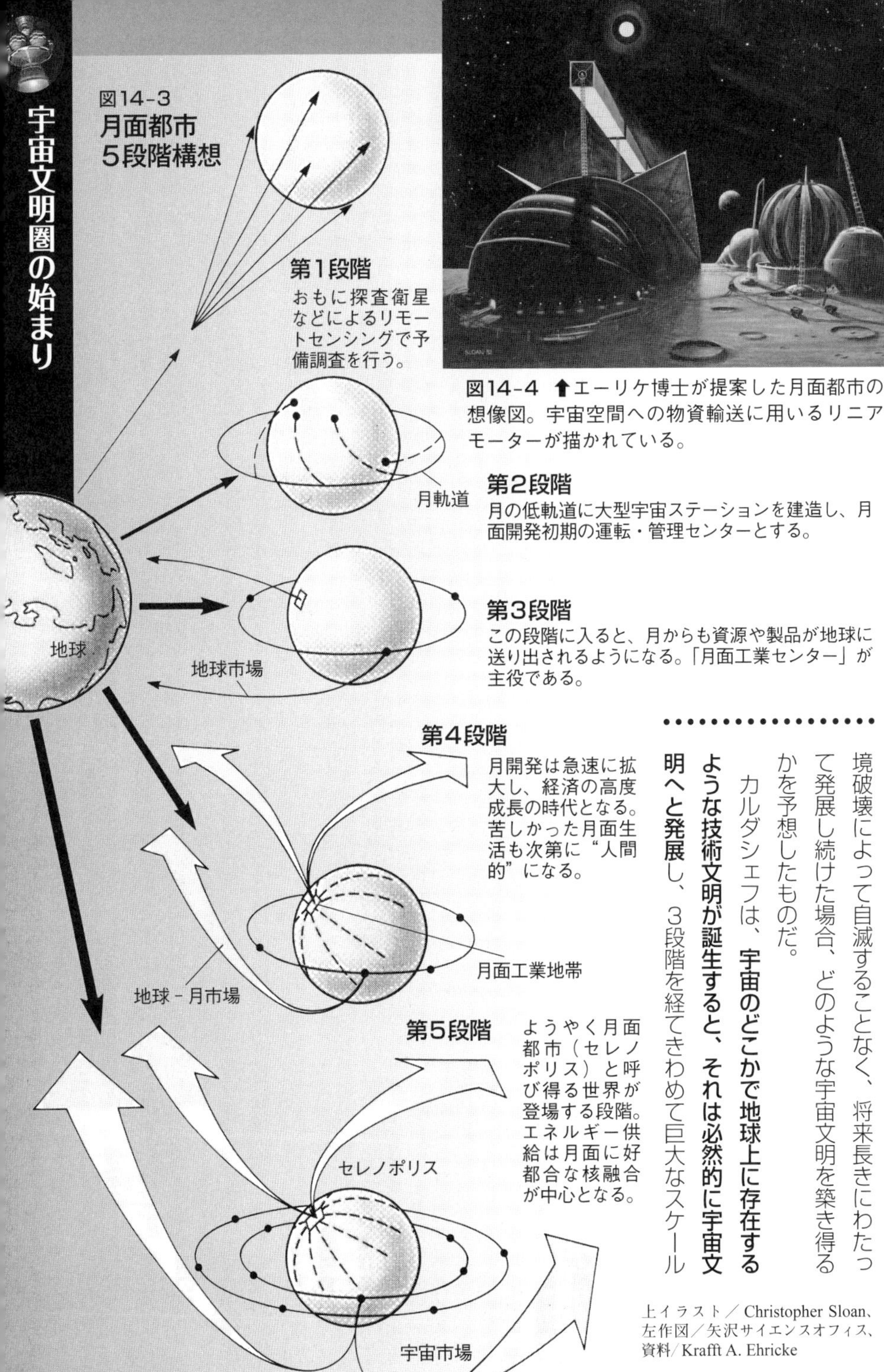

図14-4 ⬆エーリケ博士が提案した月面都市の想像図。宇宙空間への物資輸送に用いるリニアモーターが描かれている。

境破壊によって自滅することなく、将来長きにわたって発展し続けた場合、どのような宇宙文明を築き得るかを予想したものだ。

カルダシェフは、**宇宙のどこかで地球上に存在するような技術文明が誕生すると、それは必然的に宇宙文明へと発展**し、3段階を経てきわめて巨大なスケール

上イラスト／Christopher Sloan、左作図／矢沢サイエンスオフィス、資料/Krafft A. Ehricke

になると予言した。彼の3段階の定義は、その**文明が利用し得るエネルギー総量**を基準にしている。そのため一般人にはわかりにくいが、平易に書き直すと次のようになる。

われわれは「タイプⅠ文明」の途上

まず第1段階は「**タイプⅠ文明（惑星文明）**」と呼ばれる。これは、自らの惑星で利用できる全エネルギーを用いる文明である。地球上には、化石燃料や太陽エネルギー、原子力、核融合などを合計すると、現在消費している量の何千〜何万倍もの潜在的エネルギーがあり、人類はまだそのごく一部しか利用していない。したがって現在の人類文明はタイプⅠの途上にあることになる。

第2段階は「**タイプⅡ文明（恒星文明）**」である。これはその惑星系の母なる星（地球の場合は太陽）の全エネルギーを利用する文明で、途方もないスケールとなる。

これを受けたアメリカ、プリンストン高等研究所の物理学者**フリーマン・ダイソン**（96歳で存命。**図14－5右**）は、太陽をすっぽりおおうリング状構造物や、さらに太陽を球状のカゴ構造でおおう〝**ダイソン・スフィア**〟（**図14－5左**）を建造し、そこから太陽エネルギーを無限に地球に送るという目のくらみそうな未来文明を構想している。

最後の第3段階の「**タイプⅢ文明（銀河文明）**」は、われわれの銀河系（天の川銀河）のもつ全エネルギーを自在に制御する文明である。ここまでくると、もはや並みのサイエンス・フィクションでも手が出そうにない。

ともあれ、技術文明は理論的にはこうした無限の可能性を秘めている。もし地球文明がそこまで発展できないなら、太陽系外のどこか別の惑星にその可能性を秘めた文明がすでに存在するかもしれない。科学者たちは、そうした地球以外の惑星の文明についても考察してきた。

銀河系にただ1つの文明か100万の文明か？

われわれの**太陽系の外の宇宙には、どのくらいの数の技術文明が存在するか？**　この問題については高名な科学者たちが長年議論してきた。なかでも興味深い事例は、そうした技術文明がいくつ存在するかをはじき出す計算式がつくられたことだ。

ここで言う「**技術文明」とは、電磁波（電波や光）を使って通信を行うレベルの文明**——人類はそのレベルに達している——を指している。電磁波による通信技術がなければ、はるか遠くの惑星に文明があるかどうかを互いに知りようがないからだ。

この数式を考えだしたのはコーネル大学の**フランク・ドレー**

ク。彼は1960年代、われわれの銀河系に存在する**技術文明を数え上げる方程式（ドレーク方程式。**126ページ**コラム**）を案出した。すると当時の科学者たちがその解法を試みた。なかでももっとも有名な科学者が、アメリカ人なら誰でも（当時の日本人の多くも）知っている**カール・セーガン**である。

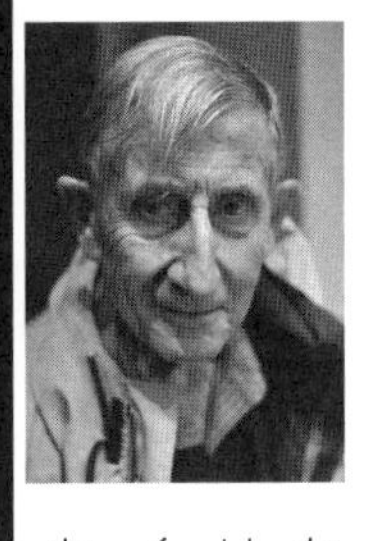

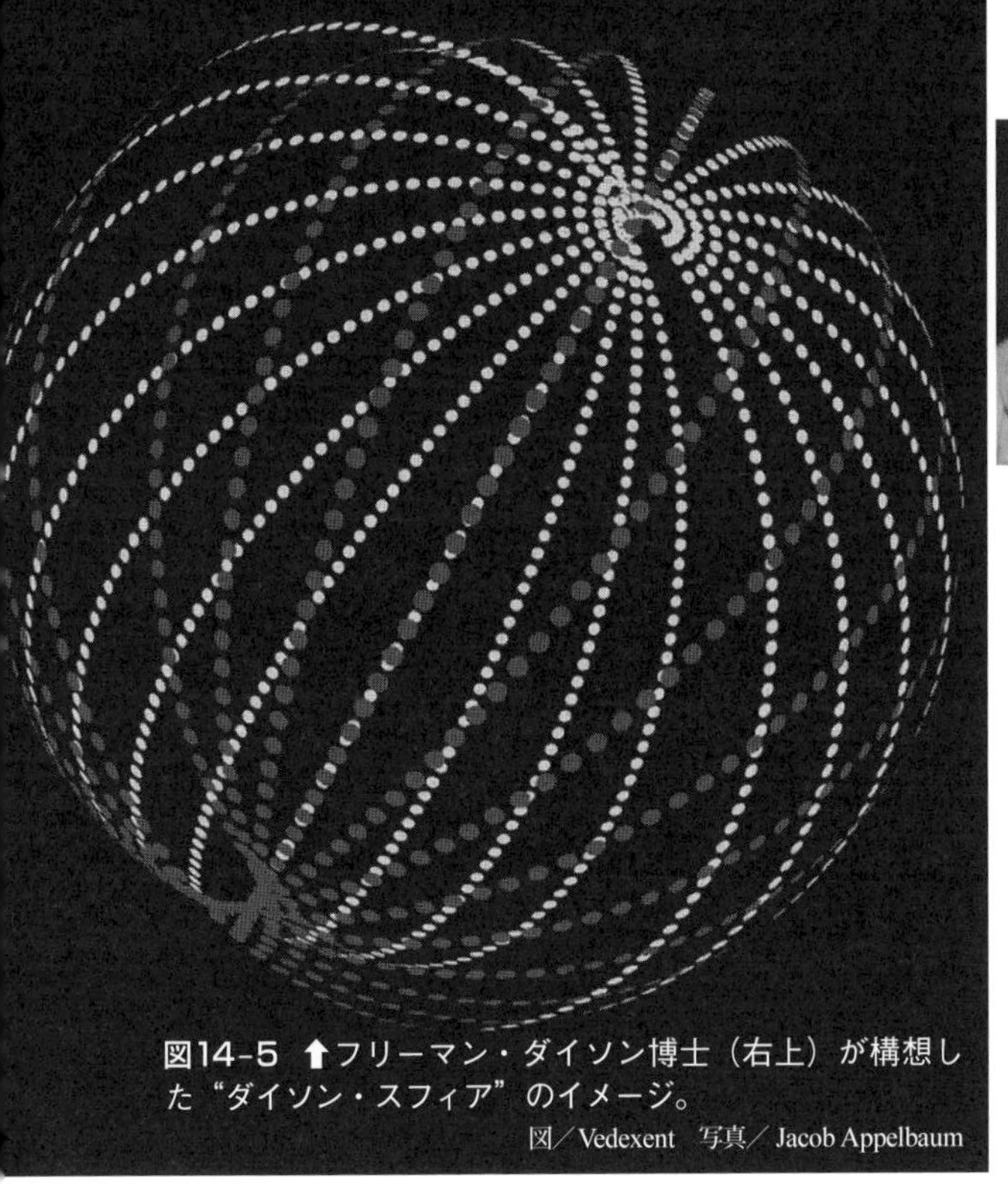

図14-5 ⬆フリーマン・ダイソン博士（右上）が構想した“ダイソン・スフィア”のイメージ。
図／Vedexent　写真／Jacob Appelbaum

彼は当初ロシア人科学者とともに、銀河系に存在する**技術文明は100万と計算**した（後にこの数を減らしたが）。広大な宇宙にはいたるところに生命が存在し、その中から多数の文明が発生していると予測したのだ。

他方、「**宇宙には地球以外に生命も文明も存在しない**」とする見方も出された。その理由は、宇宙文明が地球にやってきた証拠がないからというものだ。こうした悲観的予測を行うのはまれな物理学者や化学者か、または多くの生物学者である。生物学者は、地球で生命が生まれたのは奇跡的偶然が奇跡的な回数重なった結果であり、こんな奇跡が地球以外の場所で起こるはずがないと論じる——ではその奇跡がなぜ地球でのみ起こったのかと簡単に反論されがちではあるが。

ドレーク方程式の各項目にどんな数字を入れるかによって、**宇宙文明の数（N）は1にも100万にもなる。**地球文明がすでに1なので、N=0という答えはない。読者自身の見方でこの方程式を解いて見てはどうだろうか。自身の知識や理解度、推論能力のテストにもなる。

この方程式がつくられたころには、地球外宇宙に地球に似た惑星が存在するかどうかは推測の域を出なかった。しかし以来、観測技術の途方もない進歩により、太陽系に近い宇宙だけでも1000個以上の地球型惑星が発見されており、そのうち10個

Column

ドレーク方程式

この有名なドレーク方程式は、われわれの銀河系に存在する技術文明の数をはじき出すためにフランク・ドレーク（左写真）が1961年に考案した。下の７要件のいくつか、とりわけ文明の寿命（L）は推測さえ困難である。この式は考察の手がかりを与えるものと考えるべきであろう。

N：推定によってはじき出そうとする宇宙文明の数（ナンバー）。これを導くにはその後ろに続く7つの要素（f：ファクター）を掛け合わせればよい。

f_p：星がわれわれの太陽のように惑星系をもつ確率

f_l：生命存在を許す惑星で生命が発生する確率

f_c：知的生命体が恒星間の電波交信技術を発展させる確率

$$N \approx R_* f_p n_e f_l f_i f_c L$$

R_*：銀河系の中で1年に生まれる星（恒星）の数

n_e：惑星系のうち生命の存在を許す惑星の数

f_i：生命が知的生命体に進化する確率

L：技術文明の寿命

写真／Amalex5

以上が、地球型生命が生きられる環境（**ハビタブルゾーン：生命居住可能領域**★1）の中にあることもわかってきた。いまでは、**宇宙のすべての星（恒星）に惑星系が存在するという見方が有力**である。ドレーク方程式の未知の要素のいくつかがほどけ始めているのだ（51ページも参照）。

★1　**ハビタブルゾーン**　ハビタブル（habitable）は〝居住可能な〟を意味する。ある惑星が中心の恒星（太陽）から適度な距離にあり、またそこに液体の水や大気が存在できるなら、その惑星はハビタブルゾーンの中にあることになる。地球がその好例である。

宇宙文明圏の誕生までの時間表

この方程式のうち、ほとんど**見当もつかない項目がある。L、つまり技術文明の寿命である。**すでに地球文明が示唆しているように、**技術文明が高度化すると必ず核兵器が出現し、また自然環境が破壊される。**これらによって文明は遅かれ早かれ自滅すると誰でも考えがちだが、答えを出すことは容易ではない。たしかに全面核戦争が起これば明日にも文明は崩壊し、環境破壊は真綿で首を絞めるように地球生物を絶滅に導くであろう。

ニューヨーク市立大学教授の日系アメリカ人物理学者ミチオ・カクは、現在のアメリカでもっとも有名な科学解説者でもある。彼は前述のニコライ・カルダシェフの宇宙文明3段階説を考察し、その時間スケールを次のように修正した。

まず、初期の技術文明が**「タイプI文明」に到達するまでに**

要する時間は100～200年。ついで太陽の全エネルギーを利用する**「タイプⅡ文明」に達するまでに2000～3000年**を要する。そして、銀河系の全エネルギーを操作できる**「タイプⅢ文明」を実現するまでに10万年**だという。

図14-6 ⬆人間が将来火星に移住した場合、人工空間の内部で野菜栽培などを行う必要が生じる。NASAはかねてからその実験を続けている。 想像図／NASA

このうちタイプⅠとタイプⅡの実現までに要する年月は、カルダシェフの最初の予測と重なっている。だがタイプⅢについては、カクは楽観的なカルダシェフより20倍も長い時間を予想した。カルダシェフは、直径10万光年のわれわれの銀河系空間を文明が伝わるにしても、そこにアインシュタインの特殊相対性理論が予言する**〝光速の壁〟が立ちはだかる**ことを見落としていた。この光速の壁が文明伝播のブレーキになるというのだ。

ともあれこうした問題は、先駆的科学者の理論や構想に対して後の科学者たちがより新しい知見と修正を加えることで、信憑性や具体性が増すことになる。

だが文明の発展と宇宙文明へのこうした道のりを考えるとき、われわれは同時に前述の問題、すなわち**文明の崩壊や人類の衰退についても考えないではいられない。**いまの人間世界を見ると、先進諸国では日本に限らず急速な人口減少が進み（中国も近々いっきに減少に向かうことが確実である）、地球の自然環境は破壊され続け、核兵器やロボット兵器はいよいよ高度化して地上から地球周回軌道へ、さらには月へと広がろうとしている。人間がこうした障害を乗り越えて前進できると**楽観的に仮定したときにはじめて、われわれは〝宇宙文明圏〟への道筋を考えることができる。**●

◉執筆
新海裕美子 *Yumiko Shinkai*
東北大学大学院理学研究科修了。1990年より矢沢サイエンスオフィス・スタッフ。科学の全分野とりわけ医学関連の調査・執筆・翻訳のほか各記事の科学的誤謬をチェック。共著に『人類が火星に移住する日』、『ヒッグス粒子と素粒子の世界』、『ノーベル賞の科学』(全４巻)、『薬は体に何をするか』『宇宙はどのように誕生・進化したのか』(技術評論社)、『次元とはなにか』(ソフトバンククリエイティブ)、『この一冊でiPS細胞が全部わかる』(青春出版社)、『正しく知る放射能』、『よくわかる再生可能エネルギー』(学研)、『図解 科学の理論と定理と法則 決定版』、『図解 数学の世界』、『人体のふしぎ』、『図解 相対性理論と量子論』、『図解 星と銀河と宇宙のすべて』(ワン・パブリッシング)など。

矢沢 潔 *Kiyoshi Yazawa*
科学雑誌編集長などを経て1982年より科学情報グループ矢沢サイエンスオフィス(㈱矢沢事務所)代表。内外の科学者、科学ジャーナリスト、編集者などをネットワーク化し30数年にわたり自然科学、エネルギー、科学哲学、経済学、医学(人間と動物)などに関する情報執筆活動を続ける。オクスフォード大学教授の理論物理学者ロジャー・ペンローズ、アポロ計画時のNASA長官トーマス・ペイン、マクロエンジニアリング協会会長のテキサス大学教授ジョージ・コズメツキー、SF作家ロバート・フォワードなどを講演のため日本に招聘したり、火星の地球化を考察する「テラフォーミング研究会」を主宰して「テラフォーミングレポート」を発行したことも。編著書100冊あまり。近著に『図解 経済学の世界』がある。

カバーデザイン◉ **StudioBlade**(鈴木規之)
本文DTP作成◉ **Crazy Arrows**(曽根早苗)
イラスト・図版◉ 細江道義、高美恵子、ぐみ沢朱里、十里木トラリ、矢沢サイエンスオフィス

【図解】始まりの科学

2019年4月30日　第1刷発行
2022年5月20日　第3刷発行

編 著 者◉ 矢沢サイエンスオフィス
発 行 人◉ 松井謙介
編 集 人◉ 長崎　有
企画編集◉ 早川聡子

発 行 所◉ 株式会社 ワン・パブリッシング
〒110-0005 東京都台東区上野3-24-6

印 刷 所◉ 大日本印刷株式会社

[この本に関する各種お問い合わせ先]
・本の内容については、下記サイトのお問い合わせフォームよりお願いします。
https://one-publishing.co.jp/contact/
・不良品(落丁、乱丁)については Tel 0570-092555
業務センター　〒354-0045 埼玉県入間郡三芳町上富279-1

・在庫・注文については書店専用受注センター　Tel 0570-000346

★本書は『図解 始まりの科学』(2019年・学研プラス刊)を再刊行したものです。